Joachim Grehn – Joachim Krause

Metzler Physik 12
Ausgabe Bayern

Lösungen

W0384485

Schroedel

Metzler Physik 12 Lösungen
Ausgabe Bayern

herausgegeben von
Joachim Grehn und Joachim Krause

bearbeitet von
Dr. Sylvia Becker, Niederroth
Florian Bell, München
Joachim Grehn, Kiel
Dr. Andreas Kratzer, München
Joachim Krause, Neumünster
Ralph Zierke, Planegg

unter Mitarbeit von
Gottfried Wolfermann, Schwabach

© 2011 Bildungshaus Schulbuchverlage
Westermann Schroedel Diesterweg Schöningh Winklers GmbH, Braunschweig
www.schroedel.de

Das Werk und seine Teile sind urheberrechtlich geschützt. Jede Nutzung in anderen als den gesetzlich zugelassenen Fällen bedarf der vorherigen schriftlichen Einwilligung des Verlages. Hinweis zu § 52 a UrhG: Weder das Werk noch seine Teile dürfen ohne eine solche Einwilligung gescannt und in ein Netzwerk eingestellt werden. Dies gilt auch für Intranets von Schulen und sonstigen Bildungseinrichtungen.
Auf verschiedenen Seiten dieses Buches befinden sich Verweise (Links) auf Internet-Adressen. Haftungshinweis: Trotz sorgfältiger inhaltlicher Kontrolle wird die Haftung für die Inhalte der externen Seiten ausgeschlossen. Für den Inhalt dieser externen Seiten sind ausschließlich deren Betreiber verantwortlich. Sollten Sie bei dem angegebenen Inhalt des Anbieters dieser Seite auf kostenpflichtige, illegale oder anstößige Inhalte treffen, so bedauern wir dies ausdrücklich und bitten Sie, uns umgehend per E-Mail davon in Kenntnis zu setzen, damit beim Nachdruck der Verweis gelöscht wird.

Druck A [1] / Jahr 2011

Redaktion: Bernd Trambauer
Fotos: Übernahmen aus dem Schülerband Metzler Physik Bayyern 12 (Best.: Nr. 10707-6); siehe dort
Grafik: New Vision, Bernhard Peter; Birgit Schlierf
Umschlaggestaltung: Janssen Kahlert Design & Kommunikation GmbH, Hannover
Satz: Cross Media Solutions GmbH, Würzburg
Druck und Bindung: westermann druck GmbH, Braunschweig

ISBN 978-3-507-**10708**-3

1.1 Die Quantelung elektromagnetischer Strahlung

Seite 9

1. „Die Energie einer Schwingung ist proportional zum Quadrat ihrer Amplitude und unabhängig von der Frequenz." Erörtern Sie die Gültigkeit dieser Aussage am Beispiel eines ungedämpften elektromagnetischen Schwingkreises.

Lösung:

Die Amplitude der elektromagnetischen Schwingung ist gegeben durch die maximale Ladung Q des Kondensators (Kapazität C). Dadurch ist auch die Energie W der Schwingung festgelegt: $W = Q^2/(2C)$.

Die Energie der elektromagnetischen Schwingung hängt somit nicht von der parallel zum Kondensator geschalteten Spule ab und deshalb auch nicht von der Frequenz der Schwingung, die ja gemäß der Thomson-Gleichung von der Induktivität der Spule beeinflusst wird.

2. Berechnen Sie die Strahlungsleistung, die eine Quecksilberdampflampe haben müsste, um nach dem klassischen Wellenbild auf einer Zinkplatte im Abstand $d = 1{,}0$ m den Fotoeffekt innerhalb von 1,0 s auslösen zu können. Vergleichen Sie Ihr Ergebnis mit der elektrischen Leistungsaufnahme der Quecksilberdampflampe von 250 W.

Lösung:

Nach dem klassischen Wellenbild sollte auf die Querschnittsfläche A_A eines Zinkatoms in der Bestrahlungszeit $t = 1{,}0$ s die Austrittsenergie $E_A = 4{,}3$ eV auftreffen. Daraus ergibt sich die von einem Zinkatom aufgenommene Strahlungsleistung P_A:

$$P_A = \frac{E_A}{t} = \frac{4{,}3 \cdot 1{,}602 \cdot 10^{-19}\,\text{J}}{1{,}0\,\text{s}} = 6{,}88 \cdot 10^{-19}\,\text{W}$$

Die Strahlungsleistung verteilt sich isotrop auf eine Kugelfläche A_K um die Quecksilberdampflampe herum. Wird für den Radius eines Zinkatoms $r_A = 1{,}0 \cdot 10^{-10}$ m gesetzt, ergibt sich aus $P/P_A = A_K/A_A$

$$P = \frac{A_K}{A_A} P_A = \frac{4\pi d^2}{\pi r_A^2} P_A = \frac{4 \cdot (1{,}0\,\text{m})^2}{(10^{-10}\,\text{m})^2} \cdot 6{,}88 \cdot 10^{-19}\,\text{W}$$

$$= 0{,}28\,\text{kW}.$$

Das Ergebnis liegt etwa in der Größenordnung der Leistungsaufnahme der Lampe von 250 W.

Allerdings ist sowohl die Lichterzeugung der Lampe (incl. Vorschaltgerät) als auch die Absorption an der Zinkplatte (z. B. durch Reflexion) mit erheblichen Verlusten verbunden. Bei einer Lichtausbeute von 20 % der Lampe und einem Reflexionsgrad von 50 % der Zinkplatte stünden nur 10 % der aufgenommenen Leistung für das Auslösen von Fotoelektronen zur Verfügung. Für die zugrunde gelegten Bedingungen müsste nach dem klassischen Wellenbild somit eine deutlich höhere Leistungsaufnahme angesetzt werden.

Seite 11

1. Berechnen Sie jeweils die Energie, die UKW-Strahlung ($f = 90$ MHz), Mobilfunkstrahlung ($f = 1{,}8$ GHz) und Röntgenstrahlung ($\lambda = 1{,}0$ nm) an ein Elektron übertragen kann.

Lösung:

$$E = hf = h\frac{c}{\lambda}$$

Damit ergeben sich die Energien für UKW-Strahlung zu $E_{UKW} = 3{,}7 \cdot 10^{-7}$ eV, für Mobilfunkstrahlung (E-Netz) zu $E_{Mobil} = 7{,}4 \cdot 10^{-6}$ eV und für (weiche) Röntgenstrahlung zu $E_R = 1{,}2$ keV.

2. Die Austrittsenergie von Zink beträgt 4,3 eV.

a) Berechnen Sie die Grenzwellenlänge, unterhalb der der Fotoeffekt für Zink eintritt.

b) Berechnen Sie die kinetische Energie der ausgelösten Fotoelektronen bei UV-C-Bestrahlung ($\lambda = 250$ nm).

Lösung:

a) Aus $E = hf = h\frac{c}{\lambda}$ folgt

$$\lambda_g = h\frac{c}{E_A} = 4{,}1 \cdot 10^{-15}\,\text{eVs} \cdot \frac{3{,}0 \cdot 10^8\,\text{m}}{4{,}3\,\text{eVs}} = 0{,}29\,\mu\text{m}$$

b) $E_{kin} = E - E_A = h\frac{c}{\lambda} - E_A = 0{,}67$ eV

3. a) Berechnen Sie aus den Ergebnissen von Versuch 3 die Austrittsenergie von Caesium.

b) Entscheiden Sie durch Rechnung, ob das Licht eines Rubinlasers ($\lambda = 694$ nm) den Fotoeffekt bei Caesium auslösen kann.

Lösung:

a) $E = hf = E_{kin} + E_A \Rightarrow E_A = hf - E_{kin}$

z. B. mit $f = 7{,}41 \cdot 10^{14}$ Hz und $U = 1{,}19$ V folgt

$$E_A = 4{,}14 \cdot 10^{-15}\,\text{eVs} \cdot 7{,}41 \cdot 10^{14}\,\tfrac{1}{\text{s}} - 1{,}19\,\text{eV} = 1{,}87\,\text{eV}$$

b) $E_{Na} = hc/\lambda = 1{,}78\,\text{eV} < 1{,}87\,\text{eV}$

Das langwellige Licht des Rubinlasers kann also den Fotoeffekt bei Caesium nicht auslösen, unabhängig von der Intensität des Laserstrahls.

4. Eine Wolfram-Fotozelle (Grenzwellenlänge $\lambda_G = 271$ nm) emittiert Fotoelektronen mit der Energie 400 meV. Berechnen Sie die Wellenlänge der verwendeten Strahlung.

Lösung:

Aus $E = hc/\lambda = E_{kin} + E_A$ folgt

$$\lambda = \frac{hc}{(E_{kin} + E_A)} = \frac{hc}{(E_{kin} + hc/\lambda_G)} = 249\,\text{nm}.$$

Seite 12

1. Erörtern Sie, ob die folgenden Aussagen im Einklang mit EINSTEINS Lichtquantenhypothese stehen. Korrigieren Sie gegebenenfalls Fehlvorstellungen.
   a) Je größer die Lichtintensität, desto größer ist auch die Photonenenergie.
   b) Eine Vergrößerung der Intensität bewirkt eine Erhöhung eines bereits bestehenden Fotostromes.
   c) Je größer die Energie der absorbierten Strahlung ist, desto größer ist die kinetische Energie der Fotoelektronen.
   Lösung:
   a) Die Lichtintensität hat nach Einstein keinen Einfluss auf die (maximale) Photonenenergie. Letztere hängt allein von der (höchsten) Frequenz des eingestrahlten Lichts ab. Richtig wäre z. B.:
   Je höher die Strahlungsfrequenz, desto größer ist auch die Photonenenergie, vorausgesetzt, die Frequenz ist hoch genug zur Auslösung des Fotoeffekts.
   b) Die Aussage ist korrekt: Löst die Bestrahlung mit einer bestimmten Strahlungsquelle den Fotoeffekt aus, so kann z. B. durch Reduzierung des Abstandes zur Strahlungsquelle die Intensität erhöht werden. Das bedeutet, dass mehr Photonen pro Flächen und Zeiteinheit zur Verfügung stehen, um Fotoelektronen auszulösen. Mehr Fotoelektronen pro Zeiteinheit bewirken auch einen höheren Fotostrom.
   c) Korrekt wäre die Formulierung: Je größer die kinetische Energie der Fotoelektronen ist, desto größer ist auch die Photonenenergie.
   Die Strahlungsenergie ist jedoch gleich der Anzahl der Photonen mal der Photonenenergie. Und über die Anzahl der absorbierten Photonen ließe nur die Anzahl der Fotoelektronen Rückschlüsse zu, nicht jedoch ihre kinetische Energie.

2. **a)** Berechnen Sie die Anzahl der Photonen, die eine 60 W-Glühlampe (Lichtausbeute 4,0 %) und eine 11 W-Energiesparlampe (Lichtausbeute 20 %) im sichtbaren Bereich pro Sekunde emittieren. Gehen Sie vereinfachend von der einheitlichen Wellenlänge $\lambda = 600$ nm für alle emittierten Photonen aus.
   b) Berechnen Sie die Anzahl der Photonen pro Quadratmillimeter und pro Sekunde für die 60 W-Glühlampe im Abstand 1,0 m und für einen Laserpointer (Strahlungsleistung 1,0 mW, $\lambda = 633$ nm, Strahlquerschnitt 3,0 mm²).
   Lösung:
   a) Aus $E_{Ph} = hc/\lambda = 3{,}3 \cdot 10^{-19}$ J und $n_{Gl} E_{Ph} = 0{,}04 \cdot P_{Gl} \Delta t$ folgt
   $$n_{Gl} = \frac{0{,}040 \cdot 60\ \text{W} \cdot 1\ \text{s}}{3{,}3 \cdot 10^{-19}\ \text{J}} = 7{,}3 \cdot 10^{18}$$
   ebenso:
   $$n_{El} = \frac{0{,}20 \cdot 11\ \text{W} \cdot 1\ \text{s}}{3{,}3 \cdot 10^{-19}\ \text{J}} = 6{,}7 \cdot 10^{18}$$
   b) Die Glühlampe emittiert die Photonen gleichmäßig in alle Richtungen. Auf 1 mm² der Kugelfläche mit Radius 1 m um die Glühlampe treffen dann pro Sekunde
   $$n'_{Gl} = n_{Gl} \frac{10^{-6}\ \text{m}^2}{A_{\text{Kugel}}} = 5{,}3 \cdot 10^{11}\ \text{Photonen.}$$
   Der Laserpointer emittiert die Photonen gerichtet auf dem Strahlquerschnitt A_L, die Anzahl der Photonen hängt also nicht vom Abstand zur Lichtquelle ab.
   $$n'_L = \frac{P_L \cdot \Delta t \cdot 1\ \text{mm}^2}{E_{Ph} A_L} = \frac{1\ \text{mW} \cdot 1\ \text{s} \cdot 10^{-6}\ \text{m}^2}{3{,}15 \cdot 10^{-19}\ \text{J} \cdot 3 \cdot 10^{-6}\ \text{m}^2} = 1{,}1 \cdot 10^{15}$$
   Trotz der geringen Lichtleistung ist die Photonendichte des vom Laserpointer emittierten Lichtes wesentlich höher.

Seite 15

1. Berechnen Sie den Impuls eines Photons aus dem Spektrum des sichtbaren Lichts ($\lambda = 600$ nm) und eines Röntgenphotons der Energie 30 keV.
   Lösung:
   $$p(\lambda = 600\ \text{nm}) = \frac{h}{\lambda} = 1{,}1 \cdot 10^{-27}\ \text{Ns}$$
   $$p(E = 30\ \text{keV}) = \frac{E}{c} = 1{,}6 \cdot 10^{-23}\ \text{Ns}$$

2. Ein Photon ($\lambda = 250$ nm) trifft senkrecht auf die Oberfläche einer Zinkplatte ($E_A = 4{,}3$ eV) und löst dort ein Fotoelektron heraus. Dieses wird senkrecht zur Oberfläche emittiert.
   a) Berechnen Sie die Geschwindigkeit des Fotoelektrons und die Impulse von Photon (p_{Ph}) und Elektron (p_e).
   b) Erläutern Sie, inwiefern das Ergebnis ($p_e \gg p_{Ph}$) mit dem Impulserhaltungssatz vereinbar ist.
   Lösung:
   a) Die Energie des Photons beträgt
   $E_{Ph} = hc/\lambda = 7{,}95 \cdot 10^{-19}\ \text{J} = 5{,}00$ eV.
   Damit ergeben sich die Energie des Fotoelektrons und daraus dessen Geschwindigkeit und Impuls zu:
   $$E_e = E_{Ph} - E_A = 5{,}00\ \text{eV} - 4{,}3\ \text{eV} = 0{,}70\ \text{eV}$$
   Aus $E_e = \frac{1}{2} m_e v_e^2$ folgt
   $$v_e = \sqrt{\frac{2E_e}{m_e}} = \sqrt{\frac{1{,}4 \cdot 1{,}60 \cdot 10^{-19}\ \text{J}}{9{,}11 \cdot 10^{-31}\ \text{kg}}} = 5{,}0 \cdot 10^5\ \text{m/s}$$
   $$p_e = m_e v_e = 4{,}5 \cdot 10^{-25}\ \text{Ns}$$
   Der Impuls des Photons hingegen beträgt nur
   $p_{Ph} = h/\lambda = 2{,}65 \cdot 10^{-27}$ Ns.
   b) Das Fotoelektron nimmt nur die Energie des Photons auf, nicht dessen Impuls. Der Impuls des Photons und der bei der Emission des Fotoelektrons auftretende Rückstoß gehen auf die Zinkplatte über.

*3. Die Sonne bestrahlt die Erde mit 1,36 kW/m². Zeigen Sie, dass

a) der Gesamtimpuls p_{ges} der pro Zeiteinheit eingestrahlten Photonen nur von der Strahlungsleistung P (und nicht von den vorkommenden Wellenlängen) abhängt: $p_{ges} = P\,t/c$.

b) der Impuls der Photonen, die pro Sekunde und Quadratmeter auf die Erde treffen, $4{,}5 \cdot 10^{-6}$ Ns beträgt.

c) Berechnen Sie, welche Kraft die Sonnenphotonen auf einen Spiegel mit der Fläche 1,0 m² ausüben, von dem sie senkrecht reflektiert werden.

Lösung:

a) Der Impuls p eines Photons der Energie E beträgt $p = E/c$. 100-fache Energie bedeutet also 100-fachen Photonenimpuls – gleichgültig, ob diese Energie von einem oder von 100 Photonen getragen wird. Jeder Photonenenergie lässt sich also eindeutig ein Photonenimpuls zuordnen.

b) $p_{Ph} = \frac{E}{c} = \frac{P\,\Delta t}{c} = \frac{1{,}36\ \text{kW} \cdot 1\ \text{s}}{3{,}0 \cdot 10^8\ \text{m/s}} = 4{,}5 \cdot 10^{-6}\ \text{Ns}$

c) Das Photon erfährt bei senkrechter Reflexion die Impulsänderung $\Delta p = 2\,p_{vorher}$

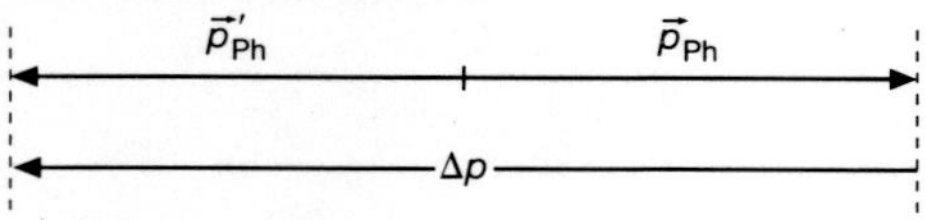

Aufgrund der Impulserhaltung

$$\overrightarrow{\Delta p}_{Photon} + \overrightarrow{\Delta p}_{Spiegel} = \overrightarrow{\Delta p}_{ges} = \vec{0}$$

muss der Spiegel diesen doppelten Impulsübertrag aufnehmen. Damit ergibt sich

$$F = \frac{\Delta p}{\Delta t} = \frac{2\,p_{ph}}{\Delta t} = \frac{2\,P\,\Delta t}{c\,\Delta t} = 9{,}0 \cdot 10^{-6}\ \text{N}$$

1.2 Welleneigenschaften der Elektronen

Seite 17

1. Berechnen Sie die De-Broglie-Wellenlänge von Elektronen für die Beschleunigungsspannungen $U_1 = 1{,}0$ V; $U_2 = 1{,}0 \cdot 10^3$ V und $U_3 = 1{,}0 \cdot 10^6$ V (relativist. Rechnung!).

Lösung:

a) Im nichtrelativistischen Fall kann die De-Broglie-Wellenlänge der Elektronen durch einfaches Einsetzen in die klassischen Formeln berechnet werden:

Aus $\lambda = h/p$, $p = \sqrt{2\,m\,E_{kin}}$ und $E_{kin} = e\,U$ folgt

$$\lambda = \frac{h}{\sqrt{2\,m\,e\,U}}$$

$U_1 = 1{,}0\ \text{V} \Rightarrow \lambda_1 = 1{,}2 \cdot 10^{-9}\ \text{m}$

$U_2 = 1{,}0 \cdot 10^3\ \text{V} \Rightarrow \lambda_2 = 3{,}9 \cdot 10^{-11}\ \text{m}$

Im relativistischen Fall ergibt sich die eleganteste Lösung durch Anwendung der relativistischen Energie-Impuls-Beziehung $E_0^2 + p^2 c^2 = E^2 = (E_0 + E_{kin})^2$:

$$p = \frac{1}{c}\sqrt{(E_0 + E_{kin})^2 - E_0^2}$$

$$= \frac{1}{c}\sqrt{[(0{,}511\ \text{MeV} + 1{,}0\ \text{MeV})^2 - (0{,}511\ \text{MeV})^2] \cdot (1{,}6 \cdot 10^{-19}\ \text{J/eV})^2}$$

$$= \frac{1}{3{,}0 \cdot 10^8\ \text{m/s}} \cdot 2{,}28 \cdot 10^{-13}\ \text{Nm} = 7{,}6 \cdot 10^{-22}\ \text{Ns}$$

$$\Rightarrow \lambda_3 = \frac{h}{p} = 8{,}7 \cdot 10^{-13}\ \text{m}$$

Eine weitere Möglichkeit besteht darin, relativistisch die Geschwindigkeit der Elektronen zu berechnen:

$$E_{ges} = m\,c^2$$

$$E_0 + E_{kin} = m_0 c^2 / \sqrt{1 - \left(\frac{v}{c}\right)^2}$$

$$\sqrt{1 - \left(\frac{v}{c}\right)^2} = \frac{E_0}{E_0 + E_{kin}}$$

$$\left(\frac{v}{c}\right)^2 = 1 - \left(\frac{E_0}{E_0 + E_{kin}}\right)^2$$

$$v = c\sqrt{1 - \left(\frac{E_0}{E_0 + E_{kin}}\right)^2}$$

$$= c\sqrt{1 - \left(\frac{0{,}511\ \text{MeV}}{0{,}511\ \text{MeV} + 1{,}0\ \text{MeV}}\right)^2} = 0{,}941\,c$$

Daraus ergeben sich der Impuls und die De-Broglie-Wellenlänge der Elektronen:

$$p = m\,v = m_0 v / \sqrt{1 - \left(\frac{v}{c}\right)^2}$$

$$= \frac{9{,}11 \cdot 10^{-31}\ \text{kg} \cdot 0{,}941 \cdot 3{,}0 \cdot 10^8\ \text{m/s}}{\sqrt{1 - 0{,}941^2}} = 7{,}6 \cdot 10^{-22}\ \text{Ns}$$

$$\lambda_3 = \frac{h}{p} = 8{,}7 \cdot 10^{-13}\ \text{m}$$

2. Berechnen Sie für Photonen und Elektronen der Wellenlänge $\lambda = 100$ pm den Impuls. Vergleichen Sie die Energie der Photonen mit der kinetischen Energie der Elektronen.
Lösung:
Für Photonen:
$$p_{\mathrm{Ph}} = \frac{h}{\lambda} = \frac{6{,}626 \cdot 10^{-34}\,\mathrm{Js}}{100 \cdot 10^{-12}\,\mathrm{m}} = 6{,}63 \cdot 10^{-24}\,\mathrm{Ns}$$
$$E_{\mathrm{Ph}} = \frac{h\,c}{\lambda} = p\,c = 2{,}00 \cdot 10^{-15}\,\mathrm{J} = 12{,}4\,\mathrm{keV}$$
Für Elektronen:
$$p_{\mathrm{e}} = \frac{h}{\lambda} = 6{,}63 \cdot 10^{-24}\,\mathrm{Ns} = p_{\mathrm{Ph}}$$
$$E_{\mathrm{kin,e}} = \frac{p_{\mathrm{e}}^2}{2\,m_{\mathrm{e}}} = \frac{(6{,}63 \cdot 10^{-24}\,\mathrm{Ns})^2}{2 \cdot 9{,}109 \cdot 10^{-31}\,\mathrm{kg}} = 2{,}41 \cdot 10^{-17}\,\mathrm{J} = 151\,\mathrm{eV}$$
Obwohl die Impulse der beiden Quantenobjekte gleich groß sind, ist die Energie des Photons fast 100mal größer als die kinetische Energie des Elektrons.

3. Mithilfe der De-Broglie-Gleichung lässt sich formal jedem Körper mit dem Impuls p eine Wellenlänge zuordnen. Beurteilen Sie, ob dies für makroskopische Körper physikalisch sinnvoll ist, indem Sie die De-Broglie-Wellenlänge z. B. eines Tennisballs (Masse $m = 58$ g, Durchmesser $d = 65$ mm und Geschwindigkeit $v = 100$ km/h) berechnen.
Lösung:
Impuls und daraus die „Wellenlänge" des Tennisballs lassen sich formal aus bekannten Beziehungen berechnen.
$$p = m\,v = 0{,}058\,\mathrm{kg} \cdot \frac{100\,\mathrm{m}}{3{,}6\,\mathrm{s}} = 1{,}61\,\mathrm{Ns}$$
$$\lambda = \frac{h}{p} = \frac{6{,}626 \cdot 10^{-34}\,\mathrm{Js}}{1{,}61\,\mathrm{N}} = 4{,}1^{-34}\,\mathrm{m}$$
Das Ergebnis für die Wellenlänge ist 10^{32}-mal kleiner als der Tennisball selbst und liegt sogar um etliche Größenordungen unterhalb der Abmessungen der kleinsten bekannten Strukturen. (Zum Vergleich: Der Durchmesser eines Protons beträgt etwa 10^{-14} m.)
Die Angabe einer Wellenlänge für den Tennisball erscheint schon aufgrund der Abmessungen eher als Spielerei. Zudem ist die Angabe einer Wellenlänge nur dann physikalisch sinnvoll, wenn auch Welleneigenschaften wie Brechung, Beugung oder Interferenz zu beobachten sind. Das ist bei dem Tennisball nicht der Fall.

Seite 19

1. Zum Versuch von Jönsson: Elektronen werden mit einer Spannung $U_A = 54{,}7$ kV beschleunigt und hinter einem Doppelspalt (Spaltabstand $d = 2{,}0$ µm) im Abstand $e = 40$ cm registriert. Berechnen Sie die Wellenlänge λ der Elektronen und den Abstand a der Interferenzmaxima.
Lösung:
Die De-Broglie-Wellenlänge $\lambda = 5{,}24$ pm (klassisch, also nicht relativistisch gerechnet) führt zu Maxima in Abstand $a = 1{,}05$ µm. Die Angaben im Aufgabentext beziehen sich auch einen vereinfachten Versuch. Jönsson benutze in seinem Experiment elektrische Linsen zur Fokussierung.

2. Der Versuch von Jönsson (→ Aufgabe 1) soll mit Protonen statt mit Elektronen bei sonst gleichen Aufbauwerten durchgeführt werden. Berechnen Sie die Wellenlänge und den Abstand der Interferenzmaxima.
Lösung:
Die De-Broglie-Wellenlänge $\lambda = 0{,}122$ pm bei Protonen führt zu Maxima in Abstand 24,5 nm.

1.3 Quantenphysik und klassische Physik

Seite 21

1. Photonen mit der Wellenlänge $\lambda = 633$ nm treffen auf einen Doppelspalt im Abstand $a = 10$ m zu einem Detektor, der einzelne Photonen registriert. Der Spaltabstand b beträgt 0,35 mm, die Spaltbreiten sind noch kleiner.
   a) Skizzieren Sie analog zu **Abb. 21.1** ein mögliches Schirmbild für 10 bzw. für 100 registrierte Photonen im Maßstab 1:1.
   b) Spalt 2 wird verschlossen. Skizzieren Sie ein Schirmbild für den geöffneten Spalt 1 (wieder 10 bzw. 100 Photonen).
   c) Wieder wird Spalt 2 verschlossen, Spalt 1 bleibt offen; nach der Hälfte (also nach 5 bzw. nach 50) der registrierten Photonen wird jedoch gewechselt, d.h. Spalt 2 ist geöffnet und Spalt 1 verschlossen. Erörtern Sie, inwiefern sich die Schirmbilder nach 10 bzw. 100 Photonen von Ergebnissen aus den Aufgaben a) und b) unterscheiden.
   Lösung:
   a) Zunächst ist der Abstand d der Interferenzmaxima (bzw. -minima) zu berechnen:
   Aus $\lambda = b \sin\alpha \approx b\frac{d}{a}$ folgt

$$d = \frac{a\lambda}{b} = \frac{10\ \text{m} \cdot 633 \cdot 10^{-9}\ \text{m}}{0{,}35\ \text{mm}} = 1{,}8\ \text{cm}$$

Für 10 Photonen wird das Schirmbild durch das stochastische Verhalten der Photonen bestimmt, bei 100 Photonen zeigen sich schon Anzeichen eines Interferenzmusters.

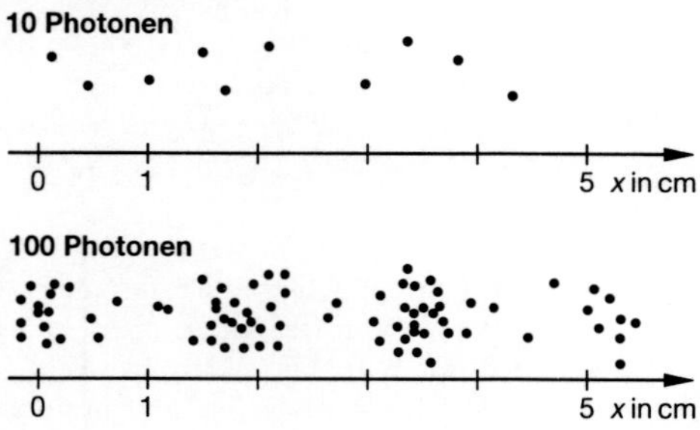

b) Ist nur ein Spalt geöffnet, so ergibt sich die Wahrscheinlichkeit, ein Photon an einer Stelle x zu registrieren, aus dem Beugungsbild des Einfachspaltes. Das streifenartige Interferenzmuster des Doppelspaltes zeigt sich auch einer großen Anzahl 100 Photonen nicht. Nach 10 Photonen ist wegen der Dominanz des stochastischen Verhaltens das Schirmbild nicht von dem aus Aufgabe a) zu unterscheiden.

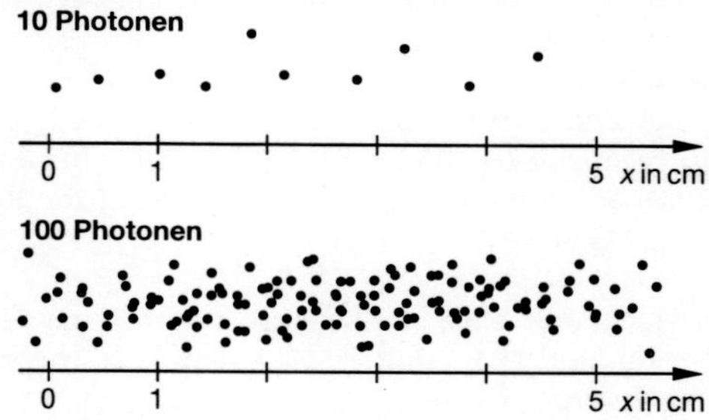

c) Die Photonen passieren ebenso wie in Aufgabe b) jeweils einen Einzelspalt. Das Schirmbild ist somit durch das Beugungsbild des Einfachspaltes bestimmt. Es entstehen deshalb auch nach längerer Belichtung (100 Photonen) keine Maxima bzw. Minima der Intensität, sondern lediglich das verwaschene Beugungsbild des Einzelspaltes aus Aufgabe b). Nach 10 Photonen ist ebenso wie in den Aufgaben a) und b) ein vom stochastischen Verhalten der Photonen bestimmtes Schirmbild zu erwarten.

Wissenstest Eigenschaften von Quantenobjekten

Seite 31

1. Berechnen Sie die Energie eines Photons in Joule und in Elektronvolt für
a) eine elektromagnetische Welle mit der Frequenz 100 MHz im UKW-Bereich und
b) eine elektromagnetische Welle mit der Frequenz 900 kHz im Mittelwellenbereich.
Lösung:
a) Die Energie eines Photons wird mit $E = hf$ berechnet. Sie beträgt $6{,}63 \cdot 10^{-26}$ J $= 4{,}14 \cdot 10^{-7}$ eV.
b) Die Energie eines Photons beträgt $5{,}96 \cdot 10^{-28}$ J $= 3{,}72 \cdot 10^{-9}$ eV.

2. Licht mit einer Wellenlänge von 300 nm fällt auf Kalium. Die emittierten Elektronen haben eine maximale kinetische Energie von 2,03 eV.
a) Berechnen Sie die Energie der einfallenden Photonen.
b) Berechnen Sie die Austrittsenergie für Kalium.
c) Berechnen Sie die erreichte Spannung, wenn das einfallende Licht eine Wellenlänge von 430 nm besitzt.
d) Berechnen Sie die Grenzwellenlänge des Photoeffekts für Kalium.
Lösung:
a) Die Energie eines Photons wird mit $E = hf$ und $f = c / \lambda$ berechnet:
$E_{Ph} = h c / \lambda = 6{,}62 \cdot 10^{-19}$ J $= 4{,}13$ eV
b) $E_A = E_{Ph} - E_{kin} = 4{,}13$ eV $- 2{,}03$ eV $= 2{,}10$ eV
$= 3{,}36 \cdot 10^{-19}$ J
c) $E_{Ph} = h c / \lambda = 2{,}88$ eV
$e U_o = E_{Ph} - E_A = 2{,}88$ eV $- 2{,}10$ eV $= 0{,}78$ eV
Der Grenzwert der Spannung ist $U_o = 0{,}78$ V.
d) $E_{Ph} = E_A$; $\lambda = h c / E_A = 5{,}90 \cdot 10^{-7}$ m $= 590$ nm

3. Die Grenzwellenlänge des Fotoeffekts für Silber liegt bei 262 nm.
a) Berechnen Sie die Austrittsenergie für Silber.
b) Berechnen Sie die Grenzspannung für einfallende Strahlung der Wellenlänge 175 nm.
Lösung:
a) $E_{Ph} = E_A$; $E_A = h c / \lambda = 7{,}58 \cdot 10^{-19}$ J $= 4{,}73$ eV
b) $E_{Ph} = h c / \lambda = 1{,}13 \cdot 10^{-18}$ J $= 7{,}08$ eV
$e U_o = E_{Ph} - E_A = 7{,}08$ eV $- 4{,}73$ eV $= 2{,}35$ eV
Die Grenzspannung ist $U_o = 2{,}35$ V.

4. Zur Durchführung des Versuchs zum lichtelektrischen Effekt und zum Planck'schen Wirkungsquantum (→ 1.1.2) existiert eine experimentelle Alternative, die sogenannte *Gegenfeldmethode:*

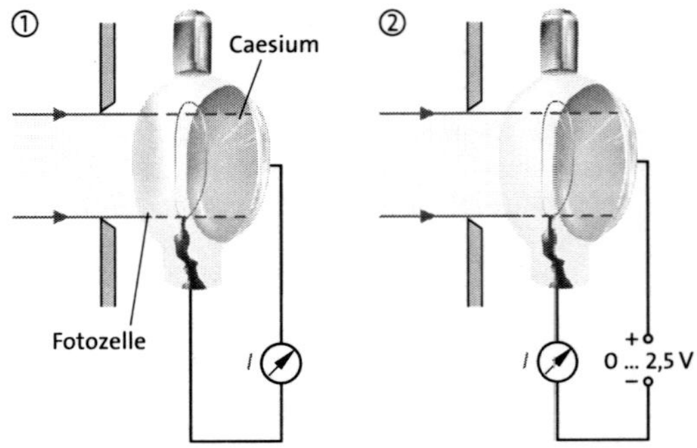

Die mit monochromatischem Licht beleuchtete Fotozelle ① bewirkt einen Fotostrom I, der in einem um eine einstellbare Spannungsquelle U erweiterten Experiment ② verringert wird. Die Spannungsquelle ist derart gepolt, dass mit steigender Spannung U der Strom I auf null absinkt.
a) Erklären Sie die Bezeichnung „Gegenfeldmethode" für dieses Messverfahren.
b) Die Fotozelle wird mit Licht der Wellenlänge $\lambda = 436$ nm bestrahlt. Der erzeugte Fotostrom verringert sich auf null, wenn die Spannung von 0 V auf $U = 1{,}05$ V erhöht wird. Erklären Sie das Versuchsergebnis und werten Sie das Ergebnis hinsichtlich der Energie der Fotoelektronen aus.
c) Die Fotozelle wird nacheinander mit Licht der Wellenlängen $\lambda = 546$ nm (Grün) und 405 nm (Violett) bestrahlt. Der erzeugte Fotostrom wird null bei $U_{Grün} = 0{,}40$ V bzw. $U_{Violett} = 1{,}19$ V. Bestimmen Sie aus den Messwerten das Planck'sche Wirkungsquantum h.
Lösung:
a) Die Bezeichnung „Gegenfeldmethode" bezieht sich auf die Messung der kinetischen Energie der Fotoelektronen mit einem elektrischen Feld, welches eine Kraft entgegen der Bewegungsrichtung bewirkt. In diesem Feld geben die Elektronen die Energie $E = F s$ ab. Wenn die Spannung U die Kraft $F = e U / s$ so einstellt, dass die Fotoelektronen die Ringelektrode gerade nicht mehr erreichen, ist deren kinetische Energie beim Start aus der Fotoschicht $E_{kin} = e U$.
b) $E_{Ph} = h c / \lambda = 4{,}56 \cdot 10^{-19}$ J $= 2{,}84$ eV
Das Photon hat eine Energie von 2,84 eV an das Fotoelektron abgegeben. Die kinetische Energie des Fotoelektrons nach seinem Austritt aus der Fotokatode beträgt
$E_{kin} = e U = 1{,}68 \cdot 10^{-19}$ J $= 1{,}05$ eV.
Die Differenz ist die Austrittsenergie $E_A = 1{,}79$ eV.

c) Das Planck'sche Wirkungsquantum h ist der Quotient aus $\Delta E / \Delta f$:

$$\frac{E_2 - E_1}{f_2 - f_1} = \frac{1{,}90 \cdot 10^{-19} - 0{,}64 \cdot 10^{-19}}{7{,}40 \cdot 10^{14} - 5{,}49 \cdot 10^{14}\ \text{Js}} = 6{,}62 \cdot 10^{-34}\ \text{Js} \approx h$$

5. Druckfehler in der ersten Auflage in Teil d). Es muss heißen 35,0 pm.

Ein bestimmter Röntgenstrahl hat eine Wellenlänge von 35,0 pm.

a) Berechnen Sie die zugehörige Frequenz.

b) Berechnen Sie die zugehörige Photonenenergie und den zugehörigen Photonenimpuls.

***c)** Berechnen Sie die kinetische Energie eines Elektrons mit dem gleichen Impuls (relativistische Rechnung!).

d) Berechnen Sie die kinetische Energie eines Elektrons mit einer De-Broglie-Wellenlänge von 35,0 pm.

Lösung:

a) $f = \frac{c}{\lambda} = 8{,}57 \cdot 10^{-18}\ \text{Hz}$

b) $E_{\text{Ph}} = hf = 5{,}68 \cdot 10^{-15}\ \text{J} = 35{,}4\ \text{keV}$

$p_{\text{Ph}} = \frac{h}{\lambda} = 1{,}89 \cdot 10^{-23}\ \text{N/s}$

c) *1. Möglichkeit:* Die Gesamtenergie des Elektrons kann mithilfe der relativistischen Impuls-Energie-Beziehung berechnet werden. Die Differenz aus Gesamt- und Ruheenergie ergibt die kinetische Energie des Elektrons.

Die Ruheenergie E_0 eines Elektrons beträgt

$E_0 = m_0 c^2 = 8{,}187 \cdot 10^{-14}\ \text{J} = 511{,}0\ \text{keV}$

$$E_{\text{ges}}^2 = c^2 p^2 + E_0^2$$

$$E_{\text{ges}} = \sqrt{(cp)^2 + E_0^2}$$

$$= \sqrt{(3{,}00 \cdot 10^8\ \text{m/s} \cdot 1{,}89 \cdot 10^{-23}\ \text{Ns})^2 + (8{,}187 \cdot 10^{-14}\ \text{J})^2}$$

$$= 8{,}207 \cdot 10^{-14}\ \text{J}$$

$$E_{\text{kin}} = E_{\text{ges}} - E_0 = 2{,}0 \cdot 10^{-16}\ \text{J} = 1{,}2\ \text{keV}$$

2. Möglichkeit: Aus dem gegebenen Impuls des Elektrons kann dessen Geschwindigkeit und daraus die relativistische Masse sowie die Gesamtenergie berechnet werden.

Aus $p = mv = \frac{m_0 v}{\sqrt{1 - \left(\frac{v}{c}\right)^2}}$ folgt

$$\frac{p}{m_0} = \sqrt{\frac{v^2}{c^2 - v^2/c^2}} = \sqrt{\frac{c^2 v^2}{c^2 - v^2}}$$

$$\left(\frac{p}{m_0}\right)^2 (c^2 - v^2) = c^2 v^2$$

$$\left(\frac{p}{m_0}\right)^2 c^2 = v^2 \left[c^2 + \left(\frac{p}{m_0}\right)^2\right]$$

$$v = \sqrt{\frac{(p/m_0)^2 c^2}{[c^2 + (p/m_0)^2]}} = 20{,}7 \cdot 10^6\ \text{m/s} = 0{,}0690\, c$$

$$E_{\text{ges}} = \frac{m_0}{\sqrt{1 - \left(\frac{v}{c}\right)^2}} c^2 = 8{,}207 \cdot 10^{-14}\ \text{J}$$

$$E_{\text{kin}} = E_{\text{ges}} - E_0 = 2{,}0 \cdot 10^{-16}\ \text{J} = 1{,}2\ \text{keV}$$

Anmerkung: Die Elektronen sind mit $v/c < 10\,\%$ nur schwach relativistisch, sodass die klassische Energie-Impuls-Beziehung $E_{\text{kin}}^2 = p^2 / 2\, m_e$ gerundet zum gleichen Ergebnis führt.

d) Da gleiche De-Broglie-Wellenlängen gleichbedeutend sind mit identischen Impulsbeträgen, besitzt das Elektron mit der De-Broglie-Wellenlänge $\lambda = 35{,}0$ pm die gleiche kinetische Energie wie in Aufgabe c).

6. Ein Photon mit der Wellenlänge λ trifft auf ein freies, ruhendes Elektron.

Zeigen Sie, dass das Photon nicht von dem freien Elektron absorbiert werden kann, da Impuls- und Energieerhaltungssatz für diesen Fall nicht gleichzeitig erfüllt werden können

a) für $\lambda = 600$ nm

b) für eine beliebige Wellenlänge λ (nichtrelativistische Rechnung genügt).

Lösung:

a) Könnte ein freies, ruhendes Elektron das Photon absorbieren, so müsste es die Energie des Photons als kinetische Energie und den Impuls des Photons aufnehmen. Daraus ergäben sich unterschiedliche Geschwindigkeiten für das Elektron, also ein Widerspruch.

Energie des Photons: $E_{\text{Ph}} = hc/\lambda = 3{,}31 \cdot 10^{-19}\ \text{J}$

Impuls des Photons: $p_{\text{Ph}} = h/\lambda = 1{,}10 \cdot 10^{-27}\ \text{Ns}$

Aus der Energieerhaltung folgt:

$E_{\text{kin}} = E_{\text{Ph}}$ oder $\frac{1}{2} m_e v^2 = E_{\text{Ph}}$ und daraus

$v = \sqrt{2 E_{\text{Ph}} / m_e} = 8{,}5 \cdot 10^5\ \text{m/s}$

Aus der Impulserhaltung folgt:

$p_e = p_{\text{Ph}}$ oder $m_e v = p_{\text{Ph}}$ und daraus

$v = p_{\text{Ph}} / m_e = 1{,}2 \cdot 10^3\ \text{m/s}$

Da das Elektron nicht unterschiedliche Geschwindigkeiten haben kann, ist die Absorption des Photons unmöglich.

b) Auch für beliebige Wellenlängen widerspricht die Absorption eines Photons der klassischen Energie-Impuls-Beziehung:

Aus $h\frac{c}{\lambda} = E_{\text{kin}} = \frac{p^2}{2\, m_e} = \frac{h^2}{2 \lambda^2 m_e}$ folgt $2 \lambda\, m_e c = h$.

Diese Gleichung ist für beliebige Wellenlängen $\lambda \neq h / (2\, m_e c)$ des Photons nicht erfüllt und stellt deshalb einen Widerspruch dar.

Selbst im Falle $\lambda = h / (2\, m_e c) \approx 1{,}2 \cdot 10^{-12}$ m ergibt sich ein Widerspruch, da mit $E_{\text{kin}} = hc/\lambda \approx 1{,}0$ MeV das Elektron relativistisch behandelt werden müsste und die klassische Formel für die kinetische Energie und damit die klassische Energie-Impuls-Beziehung nicht anwendbar wären.

7. Ein Fotoblitzgerät sendet einen Lichtimpuls von 1,0 ms Dauer aus, dessen Gesamtenergie 10 J beträgt.

a) Berechnen Sie unter der Annahme einer einheitlichen Wellenlänge von $\lambda = 600$ nm den Gesamtimpuls des Fotoblitzes.

b) Erörtern Sie, ob das Ergebnis aus a) bei Vorhandensein weiterer Wellenlängen beeinflusst wird.

c) Berechnen Sie die Rückstoßkraft, die während des Blitzes auf das Blitzgerät wirkt.

Lösung:

a) Es sei n die Anzahl der vom Blitzgerät emittierten Photonen. Unter der Voraussetzung, dass die Photonen in die gleiche Richtung emittiert werden, ergibt sich der Gesamtimpuls durch Addition der Impulsbeträge der einzelnen Photonen:

$$E_{\text{ges}} = n\frac{hc}{\lambda}$$

$$p_{\text{ges}} = n\frac{h}{\lambda} = \frac{E_{\text{ges}}}{c} = \frac{10\ \text{Js}}{3{,}0 \cdot 10^{8}\ \text{m}} = 3{,}3 \cdot 10^{-8}\ \text{Ns}$$

b) Auch für beliebige Frequenzen ist der Gesamtimpuls gleich der Summe der einzelnen Impulsbeträge:

$$p_{\text{ges}} = p_1 + p_2 + \ldots + p_n = \frac{E_1}{c} + \frac{E_2}{c} + \frac{E_n}{c} = \frac{E_{\text{ges}}}{c}$$

Das Ergebnis aus a) gilt somit für beliebige Wellenlängen im Lichtimpuls des Blitzgerätes.

c) Das Blitzgerät nimmt während des Blitzes den Kraftstoß $F\Delta t = \Delta p$ auf. Daraus folgt

$$F = \frac{\Delta p}{\Delta t} = \frac{3{,}3 \cdot 10^{-8}\ \text{Ns}}{1{,}0 \cdot 10^{-3}\ \text{s}} = 3{,}3 \cdot 10^{-5}\ \text{N}.$$

8. Ein Laserpointer der Masse 25 g (inkl. Batterie) emittiert Licht der Wellenlänge $\lambda = 635$ nm mit der Lichtleistung der Leistung 1,0 mW exakt in eine Richtung.

a) Berechnen Sie Anzahl der in einer Sekunde emittierten Photonen.

b) Berechnen Sie die Größe der Schubkraft, welche die alle in eine Richtung emittierten Photonen auf den Laserpointer ausüben.

Lösung:

a) Jedes der n emittierten Photonen besitzt die Energie $E_{\text{Ph}} = hc/\lambda$.

Aus $nE_{\text{Ph}} = E = P\Delta t$ folgt

$$n = \frac{P\Delta t}{E_{\text{Ph}}} = \frac{P\Delta t\lambda}{hc} = \frac{1{,}1 \cdot 10^{-3}\ \text{W} \cdot 1\ \text{s} \cdot 635 \cdot 10^{-9}\ \text{ms}}{6{,}62 \cdot 10^{-34}\ \text{Js} \cdot 3{,}0 \cdot 10^{-8}\ \text{m}}$$

$$= 3{,}2 \cdot 10^{15}$$

b) Jedes der Photonen übt einen Rückstoß $\Delta p = h/\lambda$ auf den Laserpointer aus. Die von allen n in einer Sekunde emittierten Photonen auf den Laserpointer ausgeübte Rückstoßkraft beträgt

$$F = n\frac{\Delta p}{\Delta t} = n\frac{h}{\lambda\Delta t} = n\frac{E_{\text{Ph}}}{c\Delta t} = \frac{P\Delta t}{c\Delta t} = \frac{P}{c} = 3{,}3 \cdot 10^{-12}\ \text{N}.$$

9. Geladene Teilchen werden durch die Spannung $U_B = 2{,}0$ kV beschleunigt. Berechnen Sie jeweils die De-Broglie-Wellenlänge, wenn es sich um

a) Elektronen

b) Protonen

c) einfach positiv geladene Natriumionen handelt.

Lösung:

Aus $E_{\text{kin}} = p^2/2m$ folgt für die De-Broglie-Wellenlänge λ der Teilchen:

$$\lambda = \frac{h}{p} = \frac{h}{\sqrt{2mE}}$$

Mit den bekannten Ruhemassen und der kinetischen Energie von 2,0 keV ergibt sich

a) für das Elektron:

$$\lambda_e = \frac{6{,}626 \cdot 10^{-34}\ \text{Js}}{2 \cdot 9{,}109 \cdot 10^{-31}\ \text{kg} \cdot 2{,}0 \cdot 10^{3} \cdot 1{,}602 \cdot 10^{-19}\ \text{J}}$$

$$= 2{,}7 \cdot 10^{-11}\ \text{m}$$

b) für das Proton:

$$\lambda_p = \frac{6{,}626 \cdot 10^{-34}\ \text{Js}}{\sqrt{2 \cdot 1{,}673 \cdot 10^{-27}\ \text{kg} \cdot 2{,}0 \cdot 10^{3} \cdot 1{,}602 \cdot 10^{-19}\ \text{J}}}$$

$$= 6{,}4 \cdot 10^{-13}\ \text{m}$$

c) für das Natriumion:

$$\lambda_{\text{Na}} = \frac{6{,}626 \cdot 10^{-34}\ \text{Js}}{\sqrt{2 \cdot 22{,}99 \cdot 1{,}66 \cdot 10^{-27}\ \text{kg} \cdot 2{,}0 \cdot 10^{3} \cdot 1{,}602 \cdot 10^{-19}\ \text{J}}}$$

$$= 1{,}3 \cdot 10^{-13}\ \text{m}$$

10. Aus einem Strahl von Quantenobjekten, der exakt in y-Richtung ausgerichtet ist (d. h. $p_x = 0$), kann nur ein schmales Bündel durch einen Spalt der Breite 2,0 µm hindurchtreten. Die Quanten treffen auf einen Schirm im Abstand $a = 1{,}0$ m vom Spalt. In welchen Bereich des Schirms muss nach der Heisenberg'schen Unschärferelation mit dem Auftreffen der Quantenobjekte gerechnet werden, wenn es sich um

a) Photonen mit der Energie 10 eV

b) Elektronen mit der kinetischen Energie 10 eV

handelt? (*Hinweis:* Berechnen Sie anhand des Impulsdiagramms zunächst den Winkel α, um den das durch den Spalt tretende Strahlbündel mindestens aufgeweitet wird.)

Lösung:

Die Ortsunschärfe des Spaltes beträgt $\Delta x = 1{,}0$ µm. Nach der Unschärferelation $\Delta x \Delta p_x \geq h/4\pi$ resultiert daraus die Impulsunschärfe

$$\Delta p_x \geq \frac{h}{4\pi\Delta x} = \frac{h}{4\pi \cdot 1{,}0 \cdot 10^{-6}\ \text{m}} = 5{,}27 \cdot 10^{-29}\ \text{Ns}.$$

Damit ergibt sich für den Winkel α, um den sich der Strahl wenigstens auffächert:

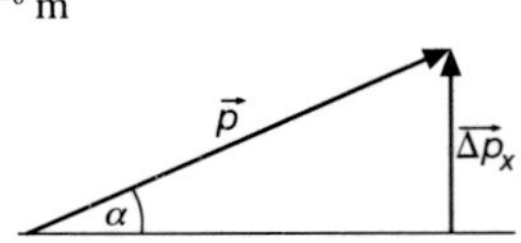

$$\sin\alpha = \frac{\Delta p_x}{p}$$

a) Der Photonenimpuls beträgt $p_{Ph} = E/c$; somit ist

$\sin \alpha = \frac{5{,}27 \cdot 10^{-29}\,\text{Ns} \cdot 3{,}0 \cdot 10^{8}\,\text{m/s}}{10 \cdot 1{,}6 \cdot 10^{-19}\,\text{J}}$; daraus folgt

$\alpha = 0{,}57°$.

Auf dem Schirm muss somit innerhalb eines Streifens der Halbbreite $d = a \tan \alpha$ mit dem Auftreffen von Photonen gerechnet werden, also innerhalb eines Streifens der Breite

$2d = 2a \tan \alpha = 2{,}0$ cm.

Verglichen mit der Spaltbreite bedeutet das eine deutliche Auffächerung infolge der Unschärferelation.

b) Für den Elektronenimpuls p_e gilt:

$E_{kin} = p_e^2 / 2m_e$

$p_e = \sqrt{2m_e E_{kin}}$

$= \sqrt{2 \cdot 9{,}1 \cdot 10^{-31}\,\text{kg} \cdot 10 \cdot 1{,}6 \cdot 10^{-19}\,\text{J}}$

$= 1{,}7 \cdot 10^{-24}$ Ns

Analog zur Berechnung für die Photonen ergibt sich

$\sin \alpha = \frac{5{,}27 \cdot 10^{-29}\,\text{Ns}}{1{,}7 \cdot 10^{-24}\,\text{Ns}}$ und daraus $\alpha = 0{,}0018°$.

Der Bereich des Schirms, in dem mit dem Auftreffen von Elektronen zu rechnen ist, hat demnach die Breite

$2d = 2a \tan \alpha = 62$ µm.

Wegen des viel größeren Impulses macht sich die Unschärfe bei Elektronen weit weniger bemerkbar.

2.1 Das Elektron im eindimensionalen Potentialtopf

Seite 34

1. a) Berechnen Sie mit der Balmer-Formel die Frequenzen für $m = 7$ und $m = 8$.
b) Bestimmen Sie die Frequenz f bzw. Wellenlänge λ, die sich für beliebig große Werte von $m \to \infty$ ergeben.
c) Zeichnen Sie alle Linien, deren Wellenlänge Sie mithilfe der Balmer-Formel errechnen, in eine Skala.
Lösung:
a) $f_7 = 7{,}55 \cdot 10^{14}$ Hz bzw. $\lambda_7 = 397$ nm
$f_8 = 7{,}71 \cdot 10^{14}$ Hz bzw. $\lambda_8 = 389$ nm
b) $f_\infty = 8{,}22 \cdot 10^{14}$ Hz bzw. $\lambda_\infty = 364$ nm
c)
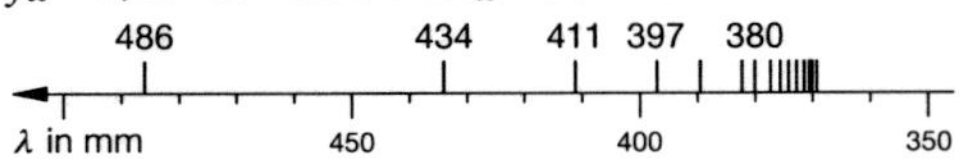

2. Bestimmen Sie die Spektrallinien des Wasserstoffs im Infrarotbereich mit der Balmer-Formel.
Lösung:
Da mit steigendem m die Wellenlänge kürzer wird, ergibt sich für $m = 3$ die längste Wellenlänge zu 656 nm im sichtbaren Bereich des Spektrums. Nach der Balmer-Formel kann es keine längeren geben.

Seite 35

1. a) Die Na-Dampflampe sendet Licht der Wellenlänge $\lambda = 589$ nm aus. Bestimmen Sie die Energie, die ein Photon dieser Strahlung überträgt.
b) Die Photonen der Strahlung mit $\lambda = 589$ nm werden in Versuch 2 nicht auf dem Schirm nachgewiesen. Erklären Sie, wohin ihre Energie transportiert wird.
Lösung:
a) $E = 3{,}37 \cdot 10^{-19}$ J $= 2{,}1$ eV.
b) Die Energie wird mit der Strahlung, die sich ausgehend von der Na-Dampf-Röhre isotrop im Raum verteilt, wegtransportiert.

2. In Versuch 2 wird die Halogenlampe durch eine Na-Lampe ersetzt. Diese Lampe sendet ausschließlich das in Versuch 1 gezeigte gelbe Licht aus.
a) Vergleichen Sie das Spektrum mit dem von Versuch 2.
b) Beschreiben Sie, wie der Glaskolben mit Na-Dampf im Licht der Na-Dampflampe erscheint.
Lösung:
a) Das Spektrum ist dunkel, von einer schwachen gelben Natriumlinie abgesehen.
b) Der Na-Dampf, der im weißen Licht durchsichtig erscheint, leuchtet nun milchig gelb. Die aufgenommene Energie wird in alle Raumrichtungen isotrop abgegeben.

Seite 37

1. **Druckfehler in der 1. Auflage.** Der Text muss lauten: Betrachten Sie das Wasserstoffatom mit einem Elektron als einen eindimensionalen Potentialtopf und bestimmen Sie die Energie im Grundzustand **a)** für den Atomdurchmesser $a_A = 10^{-10}$ m und **b)** für den Kerndurchmesser $a_K = 10^{-15}$ m.
Lösung:
a) Atomdurchmesser $a_A = 10^{-10}$ m und Elektronenmasse $m_e = 9{,}1 \cdot 10^{-31}$ kg eingesetzt in
$E = \frac{h^2}{8\,m\,a^2}$ ergibt $E = 37{,}6$ eV.
b) Mit $a_K = 10^{-15}$ m ergibt sich $E = 376$ GeV.

2. Berechnen Sie, wie sich die Energiedifferenzen zweier aufeinanderfolgender Zustände im eindimensionalen Potentialtopf mit zunehmendem Wert der Quantenzahl n ändern.
Lösung:
$$E(n+1) - E(n) = \frac{h^2}{8\,m\,a^2}(1 + 2\,n)$$
Die Energiebeträge werden mit steigendem n größer, für große Werte von n nahezu proportional zu n.

Seite 38

1. Ein Cyanin-Farbstoff besitzt ein Elektron im Zustand $n = 5$. Bestimmen Sie die Energie für die Anregung in den Zustand mit $n = 6$. Berechnen Sie die Wellenlänge der bei der Anregung absorbierten Strahlung.
Lösung:
Zur Anregung mit $E_6 - E_5 = \Delta E = 2{,}73$ eV wird Strahlung der Wellenlänge $\lambda = 453$ nm benötigt.

2. Ein Farbstoffmolekül hat eine typische Länge von $a = 1{,}0$ nm. Berechnen Sie die ersten sechs Energiestufen, die zu einer Absorption im sichtbaren Bereich des Spektrums (ca. 1,8 eV bis 3,0 eV) führen.
Lösung:
Für $n = 1$ bis $n = 6$ sind die Energieniveaus
$E_1 = 0{,}38$ eV; $E_2 = 1{,}50$ eV; $E_3 = 3{,}38$ eV;
$E_4 = 6{,}02$ eV; $E_5 = 9{,}40$ eV; $E_6 = 13{,}54$ eV.
Der sichtbare Bereich des Spektrums wird mit 1,8 eV und 3 eV eingegrenzt. Die Energiedifferenz ausgehend vom Zustand mit $n = 1$ hat den Wert 1,13 eV, liegt also nicht im sichtbaren Bereich. Erst die für $n = 2$ mit dem Wert 1,88 eV und die für $n = 3$ mit dem Wert 2,63 eV liegen im sichtbaren Teil des Spektrums. Ab $n = 4$ treten keine Werte im sichtbaren Bereich auf.

2.2 Das quantenphysikalische Modell des Wasserstoffatoms

Seite 43

1. Berechnen Sie mit der Methode der kleinen Schritte die ersten drei Werte der Ψ-Funktion für $E = -13{,}55$ eV.
Lösung:
Iterationsvorschrift für das H-Atom:
$\Psi(r) = \Psi(r - \Delta r) + \Psi'(r - \Delta r)\,\Delta r$ (1)
$\Psi'(r) = \Psi'(r - \Delta r) + \Psi''(r - \Delta r)\,\Delta r$ (2)
$\Psi''(r) = -2\,\Psi'(r)/r$
$-1{,}6382 \cdot 10^{38}\,(E + 2{,}30708 \cdot 10^{-28}/r)\,\Psi(r)$ (3)
Startwerte mit $E = -13{,}55$ eV und $\Delta r = 1 \cdot 10^{-12}$:
$r_0 = 1 \cdot 10^{-12}$, $\Psi(r_0) = 1$,
$\Psi'(r_0) = -10^{10}$, $\Psi''(r_0) = -1{,}7439 \cdot 10^{22}$
Ergebnisse des ersten Iterationsschritts:
$r_1 = 2 \cdot 10^{-12}$, $\Psi(r_1) = 0{,}99$,
$\Psi'(r_1) = -2{,}7439 \cdot 10^{10}$, $\Psi''(r_1) = 9{,}0827 \cdot 10^{21}$
Ergebnisse des zweiten Iterationsschritts:
$r_2 = 3 \cdot 10^{-12}$, $\Psi(r_2) = 0{,}96256$,
$\Psi'(r_2) = -1{,}8356 \cdot 10^{10}$, $\Psi''(r_2) = 4{,}5327 \cdot 10^{20}$
Ergebnisse des dritten Iterationsschritts:
$r_3 = 3 \cdot 10^{-12}$, $\Psi(r_3) = 0{,}94421$,
$\Psi'(r_3) = -1{,}7903 \cdot 10^{10}$, $\Psi''(r_3) = 3{,}6581 \cdot 10^{20}$

2. Begründen Sie, warum die Funktionen, die durch die Graphen für $E = -10$ eV und für $E = -15$ eV dargestellt sind (→ Methode), keine Zustände des Wasserstoffatoms beschreiben können.
Lösung:
Für beide Energiewerte nehmen die Beträge der Ψ-Funktion für größere Werte des Radius wieder zu, d.h. auch das Quadrat der Ψ-Funktion nimmt zu. Dies bedeutet, dass für diese Energiewerte die Antreffwahrscheinlichkeit für das Elektron für $r \to \infty$ immer größer wird und nicht, wie es für einen gebundenen Zustand sein muss, gegen null strebt.

3. Erklären Sie, welche Aussage dadurch gemacht wird, dass sowohl die potentielle Energie als auch die Gesamtenergie des Wasserstoffatoms negativ sind.
Lösung:
Dem Zustand der getrennten Teilchen Proton und Elektron wird der Energiewert Null zugeordnet. Da die potentielle Energie und auch die Gesamtenergie negativ sind, also dem System der beiden Teilchen Energie zugeführt werden muss, um sie zu trennen, heißt dies, dass die Teilchen aneinander gebunden sind.

Seite 44

1. Ermitteln Sie den Grenzwert der vom H-Atom emittierte Strahlung mit der kleinsten Wellenlänge.
Lösung:
Für $E = 13{,}6$ eV ist $\lambda = h\,c/E = 91$ nm.

2. Berechnen Sie die Wellenlängen der Linien, die zu den energieärmsten bzw. zu den energiereichsten Photonen der Lyman-Serie gehören.
Lösung:
Die Frequenzen der Lyman-Serie sind
$f = R\left(\frac{1}{1^2} - \frac{1}{m^2}\right)$ mit $R = 3{,}2898 \cdot 10^{15}$ Hz.
Die Photonen mit der geringsten Energie entstehen beim Übergang von $m = 2$, also $f = 2{,}4674 \cdot 10^{15}$ Hz und $\lambda = 121{,}5$ nm. Die Photonen mit der höchsten Energie entstehen beim Übergang vom freien Zustand des Elektrons in den Grundzustand, also $f = 3{,}2898 \cdot 10^{15}$ Hz mit $\lambda = 91{,}2$ nm.

3. Ein Wasserstoffatom werde aus dem Grundzustand in den Zustand mit der Quantenzahl $n = 4$ angeregt.
a) Berechnen Sie die bei der Anregung absorbierte Energie.
b) Bestimmen Sie die verschiedenen Photonenenergien, die das Atom bei seinem Übergang in den Grundzustand emittieren kann, und zeichnen Sie diese in ein Energieniveauschema ein.
Lösung:
a) Die absorbierte Energie ergibt sich aus
$E_n = -13{,}6\ \text{eV}/n^2$ für $n = 4$ zu
$\Delta E = -0{,}85\ \text{eV} - (-13{,}6\ \text{eV}) = 12{,}75$ eV.
b) Die Photonenenergien ergeben sich aus
$\Delta E = 13{,}6\ \text{eV}\left(\frac{1}{n^2} - \frac{1}{m^2}\right)$
mit $m \le 4$ und $n < m$:
$E_{43} = 0{,}66$ eV,
$E_{42} = 5{,}95$ eV,
$E_{41} = 12{,}75$ eV,
$E_{32} = 5{,}29$ eV,
$E_{31} = 12{,}1$ eV,
$E_{21} = 10{,}2$ eV

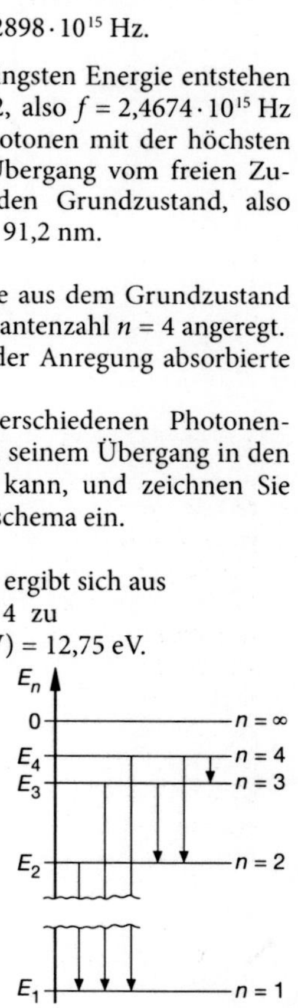

*4. Berechnen Sie die Energie, die nötig ist, um das Elektron von einem Wasserstoffatom im Zustand $n = 2$ zu trennen.
Lösung:
Die Energiezustände im H-Atom sind gegeben durch $E_n = -13{,}6\ \text{eV}/n^2$.
Um das Atom zu ionisieren, also das Elektron vom Proton abzutrennen, wird die Energie
$E_2 = 13{,}6\ \text{eV}/2^2 = 3{,}4$ eV
benötigt.

2.3 Mehrelektronensysteme

Seite 47

1. Bestimmen Sie die Anzahl der unterschiedlichen Zustände für $n = 1$ bis $n = 2$ und geben Sie die zugehörigen vier Quantenzahlen an.
Lösung:
Für $n = 1$ sind 2 Zustände vorhanden:
$n = 1,\ l = 0,\ m = 0,\ s = 1/2$ und
$n = 1,\ l = 0,\ m = 0,\ s = -1/2$
Für $n = 2$ sind 8 Zustände vorhanden:
$n = 2,\ l = 0,\ m = 0,\ s = 1/2$ und
$n = 2,\ l = 0,\ m = 0,\ s = -1/2$,
$n = 2,\ l = 1,\ m = -1,\ s = 1/2$ und
$n = 2,\ l = 1,\ m = -1,\ s = -1/2$,
$n = 2,\ l = 1,\ m = 0,\ s = 1/2$ und
$n = 2,\ l = 1,\ m = 0,\ s = -1/2$,
$n = 2,\ l = 1,\ m = 1,\ s = 1/2$ und
$n = 2,\ l = 1,\ m = 1,\ s = -1/2$

2.4 Experimente und Anwendungen zum Atommodell

Seite 49

1. Auf Wasserstoffatome im Grundzustand treffen Elektronen, die aus einer Glühkatode ausgelöst wurden.
a) Geben Sie die Spannung U_B an, mit der die Elektronen mindestens beschleunigt werden müssen, um beim unelastischen Stoß mit den Wasserstoffatomen diese in den ersten angeregten Zustand zu bringen.
b) Berechnen Sie die Wellenlänge der dabei entstehenden Strahlung.
Lösung:
a) Die Energiezustände des Wasserstoffatoms sind gegeben durch
$$E_n = -13{,}6\ \text{eV}\frac{1}{n^2}.$$
Die Energiedifferenz zwischen dem ersten angeregten Zustand und dem Grundzustand beträgt
$$E_{12} = 13{,}6\ \text{eV}\left(\frac{1}{1^2} - \frac{1}{2^2}\right) = 10{,}2\ \text{eV}.$$
Die Beschleunigungsspannung muss also mindestens 10,2 V betragen.
b) Die Frequenz der Strahlung, die bei der Rückkehr der angeregten Atome in den Grundzustand ausgesandt wird, beträgt
$$f = \frac{E_{12}}{h} = \frac{10{,}2 \cdot 1{,}60 \cdot 10^{-19}}{6{,}63 \cdot 10^{-34}}\ \text{Hz} = 2{,}46 \cdot 10^{15}\ \text{Hz},$$
also $\lambda = \frac{c}{f} = 121$ nm.

2. Berechnen Sie die Geschwindigkeit von Elektronen, die gerade in der Lage sind, Quecksilberatome anzuregen, und bestimmen Sie die Mindestgeschwindigkeit der Elektronen, die die Gegenspannung von 1,5 V überwinden können.
Lösung:
Die kinetische Energie der Elektronen muss mindestens 4,9 eV betragen:
$$\frac{1}{2}m_e v^2 = e\,U \quad \text{also} \quad v = \sqrt{\frac{2\,e\,U}{m_e}} = 1{,}3 \cdot 10^6\ \text{m/s}.$$
Um gegen eine Spannung von 1,5 V anzulaufen, muss die Geschwindigkeit $v \geq 7{,}3 \cdot 10^5$ m/s sein.

3. Elektronen der Energie 13,1 eV treffen auf Wasserstoffatome, die sich im Grundzustand ($n = 1$) befinden.
a) Berechnen Sie die Wellenlängen der im sichtbaren Bereich durch die Anregungen verursachten Strahlung.
b) Bestimmen Sie die Restenergien der Elektronen nach den Anregungen.

Lösung:
a) Von den Elektronen können alle Energieniveaus der H-Atome mit $n > 1$ angeregt werden, die mindestens 13,1 eV über dem Grundzustand liegen. Der höchste Energiezustand ergibt sich aus

$$E_m = 13{,}6\ \text{eV}\left(\frac{1}{1^2} - \frac{1}{m^2}\right) \geq 13{,}1\ \text{eV} \quad \text{zu} \quad m = 5.$$

Im sichtbaren Bereich wird also Licht der Wellenlängen beim Übergang in den Zustand $n = 2$, der Balmerserie ausgestrahlt:
$\lambda_{52} = 435$ nm, $\lambda_{42} = 487$ nm, $\lambda_{32} = 658$ nm
b) Die Energiebeträge

$$E_m = 13{,}6\ \text{eV}\left(\frac{1}{1^2} - \frac{1}{m^2}\right) \quad \text{mit} \quad m \leq 5$$

werden von den H-Atomen aufgenommen, sodass die Restenergien der Elektronen

$$E_{\text{Rest},m} = 13{,}1\ \text{eV} - 13{,}6\ \text{eV}\left(\frac{1}{1^2} - \frac{1}{m^2}\right)$$

betragen:
$E_{\text{Rest},2} = 2{,}9$ eV, $E_{\text{Rest},3} = 1{,}01$ eV, $E_{\text{Rest},4} = 0{,}35$ eV,
$E_{\text{Rest},5} = 0{,}04$ eV

*4. Geben Sie eine Erklärung dafür, dass die Kurven im Franck-Hertz-Versuch (→ **Abb. 48.2**) eine runde Form haben, der Abfall der Stromstärke also nicht abrupt erfolgt, die Maxima mit steigender Spannung immer größer werden und dass die Stromstärke nicht auf den Wert null absinkt.
Lösung:
Die durch den glühelektrischen Effekt ausgelösten Elektronen haben unterschiedliche Geschwindigkeiten, sodass sie die kinetische Energie zum unelastischen Stoß mit den Quecksilberatomen nicht alle bei derselben Beschleunigungsspannung erreichen. Der Abfall der Stromstärke erfolgt also nicht abrupt bei einer festen Spannung.
Die Maxima werden immer größer, da mit zunehmender Beschleunigungsspannung immer mehr Elektronen aus der Raumladungswolke vor der Katode abgesaugt werden. Die Stromstärke sinkt nicht auf den Wert null ab, da nicht alle Elektronen einen unelastischen Stoß ausführen.

*5. Zur Untersuchung der Energieniveaus von Helium werden Elektronen mit einer Spannung von 50 V beschleunigt und durch das Gas geschickt. Nachdem die Elektronen das Gas durchlaufen haben, wird ihre Energie bestimmt. Die Elektronen haben die folgenden diskreten Energiewerte: 28,7 eV; 26,9 eV; 26,0 eV. Vom Energiewert 25,4 eV an treten Elektronen mit kontinuierlicher Energieverteilung auf.
a) Geben Sie eine Erklärung für dieses Versuchsergebnis.
b) Entwickeln Sie aus den Messwerten das Energieniveauschema des Heliums.
c) Berechnen Sie die Wellenlängen des Lichts im sichtbaren Bereich, das bei der Abregung entsteht.

Lösung:
a) Die in das Heliumgas eintretenden Elektronen haben eine kinetische Energie von 50 eV und können einen Teil ihrer Energie in unelastischen Stößen an die Heliumatome abgeben. Die Differenz zwischen den 50 eV und den angegebenen Energiewerten der Elektronen ist gleich den an die Heliumatome abgegebenen Energien. Die kontinuierliche Energieverteilung ergibt sich durch Elektronen die Heliumatome ionisiert und an die ausgelösten Elektronen beliebige Energien übertragen haben.
b) Die Ionisierungsenergie des Heliums beträgt ungefähr 50 eV – 25,4 eV = 24,6 eV. Der Grundzustand des Heliums liegt also bei – 24,6 eV. Ferner wurden die Energiebeträge 21,3 eV, 23,1 eV und 24,0 eV abgegeben. Es existieren also Energieniveaus mit diesen Energieabständen über dem Grundzustand, sodass sich folgendes Energieniveauschema ergibt.

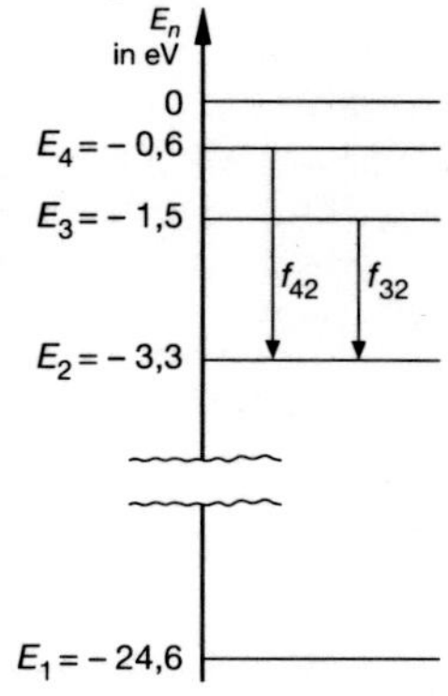

c) Sichtbares Licht wird emittiert bei den Übergängen $\Delta E = E_4 - E_2 = 2{,}7$ eV mit $\lambda = 460$ nm und $\Delta E = E_3 - E_2 = 1{,}8$ eV mit $\lambda = 691$ nm.

*6. Zeigen Sie, dass Elektronen aufgrund des Massenverhältnisses bei einem zentralen elastischen Stoß mit Heliumatomen keine Energie an die Atome übertragen können.
Lösung:
Beim zentralen elastischen Stoß zweier Körper ist die Geschwindigkeit des ersten Körpers nach dem Stoß

$$v_1' = \frac{m_1 v_1 + m_2(2 v_2 - v_1)}{m_1 + m_2};$$

mit $v_2 = 0\, v_1'$ folgt

$$v_1' = \frac{m_1 v_1 - m_2 v_1}{m_1 + m_2} = v_1 \frac{m_1 - m_2}{m_1 + m_2}.$$

Dann gibt der stoßende Körper der Masse m_1 die Energie

$$\Delta E = \frac{1}{2} m_1 v_1^2 - \frac{1}{2} m_1 v_1'^2 = \frac{1}{2} m_1 v_1^2 \left(1 - \frac{(m_1 - m_2)^2}{(m_1 + m_2)^2}\right)$$

ab. Umformung dieses Terms ergibt

$$\Delta E = \frac{1}{2} m_1 v_1^2 \left(\frac{(m_1 + m_2)^2 - (m_1 - m_2)^2}{(m_1 + m_2)^2}\right)$$
$$= \frac{1}{2} m_1 v_1^2 \frac{4 m_1 m_2}{(m_1 + m_2)^2}$$

Da die Masse m_2 des Heliumatoms rund 8000 Mal so groß ist wie die Masse m_1 des Elektrons, kann im Nenner des Bruchs m_1 gegenüber m_2 vernachlässigt werden. Damit ergibt sich

$$\Delta E = \frac{1}{2} m_1 v_1^2 \frac{4 m_1}{m_2} = E_{\text{kin, Elektron}} \frac{1}{2000} \approx 0.$$

Seite 51

1. Bestimmen Sie Energie, Frequenz und Wellenlänge der charakteristischen Röntgenstrahlung einer Silberplatte.
   Lösung:
   Mit der Formel $\Delta E = 13{,}6\ \text{eV} \cdot (Z-1)^2/n^2$ wird mit $Z = 47$ die Energie für den Übergang von $n = 2$ nach $m = 1$ berechnet: $\Delta E = 21{,}6$ keV.
   Frequenz der Strahlung: $f = 5{,}22 \cdot 10^{18}$ Hz
   Wellenlänge $\lambda = 57{,}4$ pm

2. Die kurzwellige Grenze eines Röntgenspektrums entsteht dadurch, dass die gesamte kinetische Energie in ein Röntgenquant hf umgewandelt wird. Berechnen Sie die Wellenlänge für die Beschleunigungsspannung $U_B = 40$ kV.
   Lösung:
   Für die Frequenz der Strahlung der kurzwelligen Grenze gilt $hf = e\,U_B$, also
   $$\lambda = \frac{c}{f} = \frac{c\,h}{e\,U_B} = 31\ \text{pm}$$

3. Eine genaue Untersuchung zeigt, dass die charakteristische Röntgenstrahlung eines Elements mehrere diskrete Spektrallinien enthält. Erklären Sie dieses Phänomen.
   Lösung:
   Die einzelnen Linien der charakteristischen Röntgenstrahlung lassen sich den möglichen Zustandsänderungen hin zum Zustand $n = 1$ zuordnen. Es sind die Übergänge $n = 2$ nach $n = 1$, dann $n = 3$ nach $n = 1$ und $n = 4$ nach $n = 1$ möglich. Die Folge der Linien endet, wenn die Zustände nicht mehr besetzt sind, z. B. bei Silber ab $n = 6$.

Wissenstest Ein Atommodell der Quantenphysik

Seite 57

1. Ein Atom absorbiert Licht einer Wellenlänge von 434 nm und emittiert anschließend ein Photon mit einer Wellenlänge von 4050 nm. Berechnen Sie den Energiezuwachs des Atoms.
   Lösung:
   Die aufgenommene Energie ist
   $E_1 = hf = hc/\lambda = 4{,}58 \cdot 10^{-19}\ \text{J} = 2{,}86$ eV.
   Die abgegebene Energie ist
   $E_2 = hf = hc/\lambda = 4{,}90 \cdot 10^{-20}\ \text{J} = 0{,}31$ eV.
   Der Energiezuwachs ist
   $E_1 - E_2 = 4{,}09 \cdot 10^{-19}\ \text{J} = 2{,}55$ eV.

2. Ein Elektron in einem eindimensionalen Potentialtopf der Länge 250 pm mit unendlich hohen Wänden wird von seinem ersten angeregten Zustand in den dritten angeregt.
   a) Bestimmen Sie die Energie, die dem Elektron zugeführt werden muss.
   b) Berechnen Sie die Wellenlängen der Strahlung, die bei einer Abregung emittiert werden können.
   c) Zeichnen Sie die möglichen Energieübergänge in ein Energieniveauschema ein.
   Lösung:
   a) Für die Energiezustände des Elektrons im eindimensionalen Potentialtopf gilt
   $$E_n = \frac{h^2}{8\,m\,a^2}n^2,\ \text{also}$$
   $$\Delta E_{13} = \frac{h^2}{8\,m\,a^2}(3^2 - 1^2) = 48{,}3\ \text{eV}.$$
   b) Bei der Abregung können Übergänge in die Zustände $n = 2$ und $n = 1$ erfolgen. Es gilt:
   $$\lambda_{m,n} = \frac{c\,h}{\Delta E_{m,n}} = \frac{8\,m\,a^2 c}{h\,(m^2 - n^2)}$$
   $\lambda_{3,1} = 25{,}7$ nm; $\lambda_{3,2} = 41{,}2$ nm; $\lambda_{2,1} = 68{,}6$ nm
   c)

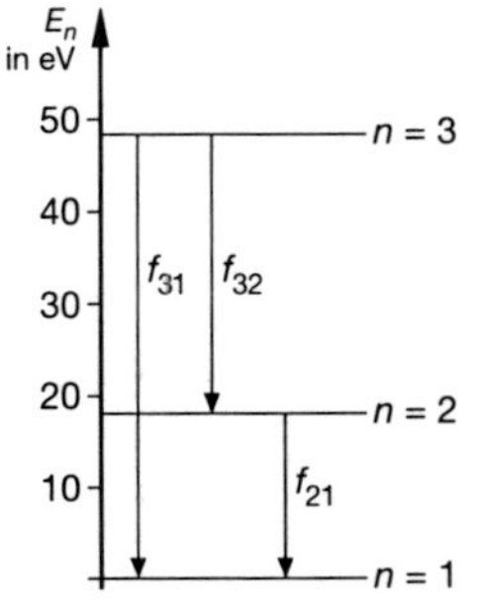

3. Das einfach ionisierte Helium hat zwei Elementarladungen im Kern und nur ein Elektron in der Hülle. Die Energiezustände des He^+-Atoms ergeben sich dann zu $E_n = -13{,}55\ \text{eV} \cdot (2^2/n^2)$.

a) Zeigen Sie, dass die Spektrallinien der Balmer-Serie von Wasserstoff mit einigen Linien im Spektrum des einfach ionisierten Heliums übereinstimmen.

b) Stellen Sie die Energieschemata für diese Linien von H und He^+ nebeneinander dar und zeichnen Sie die Energieübergänge für beide Spektren ein.

Lösung:

a) Die Linien der Balmer-Serie ergeben sich, wenn Wasserstoffatome aus den Energiezuständen mit $n \geq 3$ in den Zustand mit $n = 2$ übergehen. Die dabei emittierte Energie ist gegeben durch

$$h f_{\text{H}} = 13{,}55\ \text{eV}\left(\frac{1}{2^2} - \frac{1}{m^2}\right),\quad m > 2$$

Für die Energie der Photonen des angeregten He^+-Atoms gilt entsprechend

$$h f_{\text{He}^+} = 13{,}55\ \text{eV} \cdot 4\left(\frac{1}{n^2} - \frac{1}{m^2}\right),\quad m > n.$$

Ein Vergleich der beiden Formeln zeigt, dass die Energie der Photonen von He^+ mit der von Wasserstoff übereinstimmt, wenn $n = (2 \cdot 2)$ und $m = (2 \cdot k)$ mit $k \geq 3$ ist. Dann ist die Energie der He^+-Photonen gegeben durch

$$h f_{\text{He}^+} = 13{,}55\ \text{eV} \cdot 4\left(\frac{1}{(2 \cdot 2)^2} - \frac{1}{(2 \cdot k)^2}\right),$$

$$h f_{\text{He}^+} = 13{,}55\ \text{eV} \cdot \frac{4}{2^2}\left(\frac{1}{(2)^2} - \frac{1}{(k)^2}\right),$$

$$h f_{\text{He}^+} = 13{,}55\ \text{eV}\left(\frac{1}{2^2} - \frac{1}{k^2}\right) = h f_{\text{H}}.$$

b) Die Energiezustände für das Wasserstofflatom sind gegeben durch

$$E_n = -13{,}55\ \text{eV}\frac{1}{n^2}\quad \text{mit } n \geq 2,$$

die für das He^+-Atom durch

$$E_n = -13{,}55\ \text{eV}\frac{2^2}{n^2}\quad \text{mit } n \geq 4$$

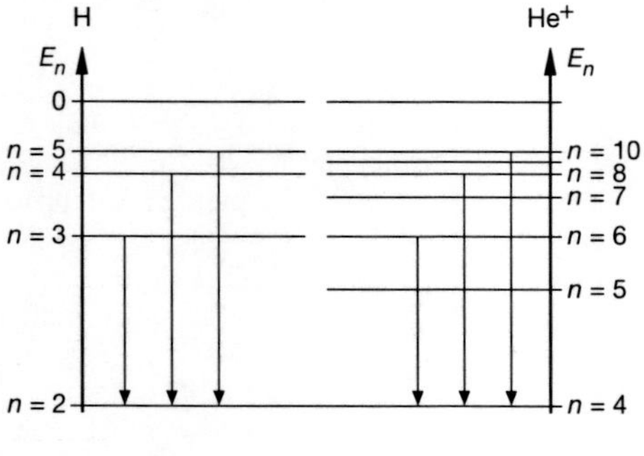

4. Ein Elektron befindet sich in einem eindimensionalen Potentialtopf der Länge a mit unendlich hohen Wänden.

a) Erläutern Sie, dass dieses System nur diskrete Energiezuständen besitzt.

b) Zeigen Sie, dass die Energiedifferenz ΔE zwischen benachbarten Zuständen durch $\Delta E = h^2(2n+1)/(8\, m_e a^2)$ gegeben ist.

c) Bei einer Länge von $a = 1{,}0$ nm wird die Wellenlänge $\lambda = 366$ nm gemessen. Begründen Sie durch Angabe von n und m, welcher Energiedifferenz $\Delta E = E_n - E_m$ diese Wellenlänge zuzuordnen ist.

d) Photonen im sichtbaren Bereich des optischen Spektrum haben Energiewerte von 1,8 eV bis 3 eV. Bestimmen Sie alle weiteren Wellenlängen, die im sichtbaren Bereich von diesem System mit $a = 1{,}0$ nm emittiert oder absorbiert werden können.

e) Im Potentialtopfmodell ist eine minimale Länge a_{min} für die Absorption im sichtbaren Bereich des optischen Spektrums erforderlich. Bestimmen Sie die Länge a_{min} und begründen Sie, dass geringere Werte von a eine Absorption ausschließen.

Lösung:

a) Stehende Elektronenwellen treten nur für Wellenlängen $a = n\lambda/2$ auf. Mit $p = h/\lambda$ und $E = E_{\text{kin}} = p^2/(2\, m_e)$ ist

$$E_n = \frac{h^2}{2\, m \lambda^2} n^2.$$

Die Bedingung für stehende Wellen $\lambda = 2\,a/n$ eingesetzt führt zu

$$E_n = \frac{h^2}{8\, m a^2} n^2.$$

Die möglichen Energiewerte sind somit diskrete Werte abhängig von n.

b) Die Energie eines beliebigen Zustands E_n ist

$$E_n = \frac{h^2}{8\, m a^2} n^2.$$

Die Energie im Zustand $n + 1$ ist

$$E_{n+1} = \frac{h^2}{8\, m a^2}(n+1)^2$$

und die Differenz

$$\Delta E = \frac{h^2}{8\, m a^2}(n^2 + 2n + 1 - n^2) = \frac{h^2}{8\, m a^2}(2n+1).$$

c) $n = 4$ und $a = 1{,}0$ nm liefern

$$\Delta E = \frac{h^2}{8\, m a^2}(2n+1) = 5{,}42 \cdot 174^{-19}\ \text{J} = 3{,}38\ \text{eV}.$$

Die Wellenlänge ist $\lambda = h c/\Delta E = 366$ nm. Sie wird beim Übergang von $m = 5$ auf $n = 4$ emittiert.

d) Im Vergleich zur Lösung c) sind weitere Wellenlängen im sichtbaren Bereich nur bei größeren Wellenlängen und damit geringeren Energiedifferenzen zu erwarten. Für $n = 3$ und $n = 2$ liefert die Formel

$$\Delta E = \frac{h^2}{8\, m a^2}(2n+1)$$

die Energiewerte $\Delta E_{43} = 4{,}22 \cdot 10^{-19}\ \text{J} = 2{,}63\ \text{eV}$ und $\Delta E_{32} = 3{,}01 \cdot 10^{-19}\ \text{J} = 1{,}88\ \text{eV}$. Die zugehörigen Wellenlängen sind $\lambda = h c/\Delta E = 471$ nm bzw. 659 nm. Weiterhin sind Energiedifferenzen von nicht benachbarten Zuständen zu betrachten. Da bereits $\Delta E_{31} = 3{,}01$ eV beträgt und alle weiteren größere Werte liefern, bleiben diese Übergänge ohne Auswirkung auf den sichtbaren Bereich des Spektrums.

e) Die minimale Energiedifferenz

$$\Delta E_n = \frac{h^2}{8\,m_e a^2}(2n+1)$$

in Abhängigkeit von n ist für $n = 1$ gegeben:

$$a^2 = \frac{3h^2}{8\,m_e \Delta E}$$

In diesem Fall wird für ΔE der Wert 3,0 eV für die Grenze des sichtbaren Spektrums eingegeben und nach der Länge a_{min} aufgelöst: $a_{min} = 613$ pm. Andere Werte für n führen zu höheren Energien und damit kürzeren Wellenlängen außerhalb des sichtbaren Bereichs, da für alle n gilt: $n > 1$.

5. Ein ruhendes Wasserstoffatom emittiert ein Photon mit der Wellenlänge $\lambda = 486$ nm.
a) Berechnen Sie Energie und Impuls des Photons.
b) Bestimmen Sie die Zustände des H-Atoms vor und nach der Emission des Photons.
c) Berechnen Sie die Geschwindigkeit des H-Atoms nach der Emission des Photons.
Lösung:
a) Die Energie des Photons ist
$E_{Ph} = hf = hc/\lambda = 4{,}09 \cdot 10^{-19}$ J $= 2{,}55$ eV.
Sein Impuls ist $p = h/\lambda = 1{,}36 \cdot 10^{-27}$ kg m/s.
b) Das H-Atom befindet sich anfangs im Zustand mit $n = 4$ und nach der Emission im Zustand mit $n = 2$. Die Energiedifferenz der Zustände ist dann

$$\Delta E = 13{,}6\ \text{eV}\left(\frac{1}{2^2} - \frac{1}{4^2}\right) = 2{,}55\ \text{eV}.$$

c) Die Geschwindigkeit des H-Atoms ist $v = p/m$, wobei sein Impuls p aufgrund der Impulserhaltung vom Betrag gleich dem des Photons ist. Die Masse m ist die des Protons m_p:

$$v = \frac{p}{m_p} = \frac{1{,}36 \cdot 10^{-27}\ \text{m kg/s}}{1{,}67 \cdot 10^{-27}\ \text{kg}} = 0{,}82\ \text{m/s}$$

6. Die Lichtabsorption eines Farbstoffmoleküls mit der Länge $a = 1{,}25$ nm wird mit dem Potentialtopfmodell beschrieben.
a) Berechnen Sie die Energiedifferenz ΔE beim Übergang des Elektrons von Zustand $n = 4$ zum Zustand $n = 5$.
b) Berechnen Sie die Wellenlänge des absorbierten Lichts λ_{Ph} und die Wellenlängen des Elektrons vor und nach der Anregung.
c) Berechnen Sie die Impulse des Photons und des Elektrons vor und nach der Energieübertragung. Bewerten Sie das Ergebnis hinsichtlich der Impulserhaltung.
d) Die stehenden Elektronenwellen für $n = 4$ und $n = 5$ werden als Überlagerung zweier gegenläufig laufender Wellenpakete betrachtet. Die Frequenzen f der Teilwellen sollen sich aus der Geschwindigkeit p/m_e und der Streckenlänge $2a$ zu $f = p/(m_e 2a)$ ergeben. Berechnen die Frequenzen f für die Zustände $n = 4$ und $n = 5$ und vergleichen Sie mit der des absorbierten Lichts.
Lösung:
a) Die Energie des Zustands mit $n = 4$ ist

$$E_4 = \frac{h^2}{8\,m_e a^2}4^2.$$

Mit den Werten für h, m_e und a ist $E_4 = 6{,}17 \cdot 10^{-19}$ J $= 3{,}85$ eV. Entsprechend ist $E_5 = 9{,}64 \cdot 10^{-19}$ J $= 6{,}02$ eV und die Energiedifferenz $\Delta E = 3{,}47 \cdot 10^{-19}$ J $= 2{,}17$ eV.
b) Die Wellenlänge des Lichts ist $\lambda_L = hc/\Delta E = hc/(3{,}47 \cdot 10^{-19}\ \text{J}) = 572$ nm. Für die stehenden Elektronenwellen ist $n\lambda/2 = a$, also $\lambda = 2a/n$. Für $n = 4$ ist $\lambda_4 = 0{,}625$ nm, für $n = 5$ ist $\lambda_5 = 0{,}500$ nm.
c) Der Impuls des Photons ist $p_{Ph} = h/\lambda_L = 1{,}16 \cdot 10^{-27}$ kg m/s. Der Impuls des Elektrons kann bei bekannter Wellenlänge mit $p = h/\lambda$ bestimmt werden. Abhängig von der Energie ist $p = \sqrt{2\,m_e E_{kin}}$. Beide Formeln liefern die Ergebnisse $p_4 = 1{,}06 \cdot 10^{-24}$ m kg/s und $p_5 = 1{,}33 \cdot 10^{-24}$ kg m/s mit der Impulsänderung $\Delta p = 2{,}65 \cdot 10^{-25}$ kg m/s. Der vom Licht abgegebene Impuls reicht deshalb nicht aus, um das Elektron in den Zustand mit $n = 5$ anzuregen. Für die ausgeglichene Impulsbilanz ist ein dritter Partner, das gesamte Farbstoffmolekül erforderlich.
d) Für die laufenden Elektronenwellenpakete ist $f_4 = p_4/(m_e 2a) = 4{,}66 \cdot 10^{14}$ Hz und $f_5 = p_5/(m_e 2a) = 5{,}82 \cdot 10^{14}$ Hz. Die Frequenz des Lichts ist $f = c/\lambda = 5{,}24 \cdot 10^{14}$ Hz. Die Frequenzen des Lichts und der Elektronenwellen sind von gleicher Größenordnung. Der Vergleich des Mittelwerts $(f_4 + f_5)/2 = 5{,}24 \cdot 10^{14}$ Hz mit der Frequenz des Lichts zeigt die überraschend genaue Übereinstimmung.

7. Die Energie eines Zustands im Potentialtopf der Länge a für $E_{pot} = 0$ ist

$$E_n = \frac{h^2}{8\,m a^2}n^2.$$

In einem elektrischen Potential mit $E_{pot} \neq 0$ wird in der Schrödingergleichung die Energie E durch $E - E_{pot}$ ersetzt.
a) Zeigen Sie, dass für die Wellenlänge λ_n der n-ten stehenden Welle im Potentialtopf gilt:

$$\lambda_n = \frac{h}{\sqrt{2\,m_e E_n}}$$

b) Im Fall von $E_{pot} = 0$ ist $E_{kin} = E$. Für $E_{pot} \neq 0$ ist $E_{kin} = E - E_{pot}$. Bestimmen Sie die Abhängigkeit der Wellenlänge λ, wobei Sie statt E den Term $E - E_{pot}$ einsetzen.
c) Zeigen Sie anhand der Beispiele $E = 1 \cdot 10^{-20}$ J und $E_{pot} = 0{,}2 \cdot 10^{-20}$ J, wie sich die Wellenlänge λ für $E_{pot} > 0$ und $E_{pot} < 0$ verändert.
Lösung:
a) Die stehende Elektronenwelle hat eine Wellenlänge λ, für die $n\lambda/2 = a$ gilt. In $E_n = h^2/(8\,m_e a^2)\,n^2$ eingesetzt und nach λ_n aufgelöst ist

$$\lambda_n = \frac{h}{\sqrt{2\,m_e E_n}}.$$

b) Die Berechnung der Energie und der Wellenlänge erfolgt wie bei Aufgabenteil a), wobei statt $E = E_{kin}$ der Term $E = (E - E_{pot})$ verwendet wird. Das Ergebnis ist dann

$$\lambda_n = \frac{h}{\sqrt{2\,m_e(E_n - E_{pot})}}.$$

Offensichtlich ändert ein Wert von $E_{pot} \neq 0$ die Wellenlänge λ bei gleicher Energie E.

c) Mit $E = 1 \cdot 10^{-20}$ J als Beispiel und
$E_{pot} = 0{,}2 \cdot 10^{-20}$ J ist $\lambda = 5{,}49$ nm,
$E_{pot} = 0{,}0 \cdot 10^{-20}$ J ist $\lambda = 4{,}91$ nm,
$E_{pot} = -0{,}2 \cdot 10^{-20}$ J ist $\lambda = 4{,}48$ nm.
Positive Werte der potentiellen Energie E_{pot} vergrößern die Wellenlänge λ bei gleicher Energie E, negative Werte verringern die Wellenlänge.

8. Der Franck-Hertz-Versuch mit Quecksilberdampf wird dahingehend erweitert, dass der Emissionsstrom der Katode konstant gehalten wird; er ist damit unabhängig von der Beschleunigungsspannung. Weiterhin wird die Intensität des UV-Lichts, welches die Quecksilberatome (Hg) emittieren, registriert.

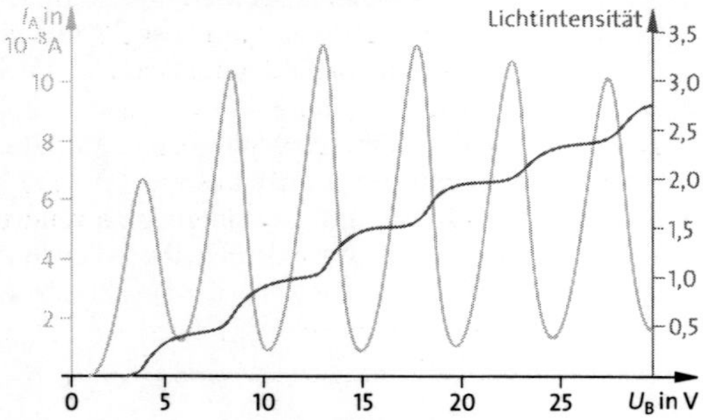

a) Erklären Sie die Änderungen des Anodenstroms I_A mit der Beschleunigungsspannung U_B.
b) Ermitteln Sie aus den Graphen die Energie, die ein Elektron an ein Hg-Atom abgibt. Berechnen Sie die Wellenlänge des emittierten Lichts.
c) Deuten Sie den unregelmäßigen Anstieg der Lichtintensität mit der Beschleunigungsspannung U_B.

Lösung:
a) Nur ein Teil des konstanten Emissionsstroms erreicht die Anode und trägt zum Anodenstrom I_A bei. Der restliche Teil wird von der Gitterelektrode aufgenommen: Es handelt sich um den Strom der Elektronen, die Energie an die Hg-Atome abgegeben haben und hinter der Gitterelektrode nicht mehr über ausreichend Energie verfügen, um gegen die Gegenspannung anzulaufen und die Anode zu erreichen.
b) Der Abstand der Minima beträgt ungefähr 4,9 V. Elektronen geben die Energie 4,9 eV an einzelne Hg-Atome ab, welche Photonen der Energie 4,9 eV emittieren. Die Wellenlänge des Lichts ist $\lambda = h\,c\,/\,E = 253$ nm.
c) Erst wenn die Elektronen mit 4,9 eV ausreichend Energie haben, um ein Hg-Atom anzuregen, kann das Atom Licht der Wellenlänge $\lambda = 253$ nm emittieren. Die Intensität steigt mit der Beschleunigungsspannung U_B dann sprunghaft an und nähert sich einem konstanten Wert. Eine weitere Erhöhung der Beschleunigungsspannung U_B um weitere 4,9 V ermöglicht den Elektronen einen weiteren unelastischen Stoß mit Hg-Atomen. Es werden weitere Hg-Atome angeregt und emittieren UV-Licht, welches die Intensität um eine zweite Stufe erhöht. Die annähernd gleichen Stufen der Intensität mit steigender Spannung lassen sich als gleichartige Energieübertragung von beschleunigten Elektronen auf die Hg-Atome und an das Licht deuten.

3.1 Radioaktivität

Seite 63

1. Bei der vollständigen Abbremsung von α-Teilchen in Luft wird je 35 eV ein Ionenpaar erzeugt, obwohl die zur Ionisation erforderliche Energie nur 15 eV beträgt.
a) Bestimmen Sie die Energie von α-Teilchen, die bei einem Ionisationsvermögen von 2000 Ionenpaaren pro mm eine Reichweite von 6,8 cm besitzen.
b) Geben Sie weitere Prozesse an, die außer der Ionisation für den Energieverlust der α-Teilchen beim Durchgang durch Luft verantwortlich sein können.
c) Berechnen Sie die Stromstärke, die von einem Präparat zwischen den Elektroden eines Zählrohrs (→ S. 80) erzeugt wird, wenn pro Sekunde 10^8 α-Teilchen emittiert werden.
Lösung:
a) $E = 2000 \cdot 68\ \text{mm} \cdot 35\ \text{eV/mm} = 4{,}76\ \text{MeV}$
b) Es findet Anregung von Atomen und Molekülen statt, wobei Elektronen der Hülle auf höhere Energieniveaus gehoben werden.
c) $I = \Delta Q/\Delta t$
$= 10^8 \cdot 68\ \text{mm} \cdot 2000 \cdot 2 \cdot 1{,}6 \cdot 10^{-19}\ \text{As/(s mm)}$
$= 4{,}4\ \mu\text{A}$

2. Für die Reichweite von α-Teilchen in Gasen gilt die Formel $R = a\,v^3$ (R Reichweite, v Geschwindigkeit). Für Luft ist $a = 9{,}67 \cdot 10^{24}\ \text{s}^3/\text{m}^2$. Berechnen Sie die Energie der α-Teilchen eines Poloniumpräparats, deren Reichweite in Luft 3,7 cm beträgt.
Lösung:
$v = 1{,}56 \cdot 10^7\ \text{m/s}$, $E_{\text{kin}} = 5{,}08\ \text{MeV}$

3. Begründen Sie, dass das Ionisationsvermögen für β-Teilchen (Elektronen) mit einer Energie von 8 MeV mit nur 6,5 Ionenpaaren pro mm so viel geringer ist als das von α-Teilchen mit gleicher Energie.
Lösung:
Die Ionisation findet aufgrund der Coulomb-Wechselwirkung statt. Diese ist bei α-Teilchen mit ihrer doppelten Ladung verglichen mit der von Elektronen und wegen ihrer geringen Geschwindigkeit erheblich größer.

4. Bei der Untersuchung der β-Strahlung eines Radiumpräparats in einem Magnetfeld der Flussdichte $B = 22{,}5\ \text{mT}$ ergibt sich eine Verschiebung des Maximums der Impulsrate um 20°. Die unter diesem Winkel registrierten β-Teilchen bewegen sich auf einer Kreisbahn mit dem Radius $r = 11{,}7\ \text{cm}$.
Berechnen Sie unter Berücksichtigung der relativistischen Massenveränderlichkeit die Geschwindigkeit der β-Teilchen.
Lösung:
$m\,v^2/r = e\,v\,B$, $m_0 v/\sqrt{1 - v^2/c^2} = e\,v\,B$;
$v = e\,r\,B\,c^2/\sqrt{m_0^2 c^2 + e^2 r^2 B^2} = 2{,}5 \cdot 10^8\ \text{m/s}$

5. Zur Ausfilterung von β-Teilchen mit einer bestimmten Geschwindigkeit durchlaufen diese ein Wien-Filter aus zwei gekreuzten Feldern. Zur Erzeugung des elektrischen Feldes wird eine Spannung von $U = 2{,}8\ \text{kV}$ an zwei Platten mit einem Abstand von $d = 0{,}9\ \text{mm}$ gelegt. Senkrecht zum elektrischen Feld besteht ein Magnetfeld mit der Flussdichte $B = 11\ \text{mT}$.
Berechnen Sie den Radius der Kreisbahn, auf der sich die ausgefilterten β-Teilchen in einem weiteren Magnetfeld mit der Flussdichte $B = 36\ \text{mT}$ bewegen. Bei der Rechnung ist die relativistische Massenveränderlichkeit zu berücksichtigen.
Lösung:
$eE = e\,v\,B$, $v = E/B$, $v = 2{,}83 \cdot 10^8\ \text{m/s}$.
Aus $m\,v = e\,r\,B$ und $m = m_0/\sqrt{1 - v^2/c^2}$ folgt
$r = 0{,}13\ \text{m}$.

*6. β-Teilchen eines Präparats werden radial in eine flache zylindrische Kammer geschossen, die von einem regelbaren Magnetfeld durchsetzt ist (siehe Abbildung unten).
a) Zeigen Sie, dass diese Anordnung zur Aufnahme eines Energiespektrums geeignet ist.
b) Durch ein Geschwindigkeitsfilter ausgesonderte Teilchen von $v = 0{,}6\,c$ durchlaufen die Anordnung bei $B = 6{,}85\ \text{mT}$. Berechnen Sie die spezifische Ladung dieser Teilchen.

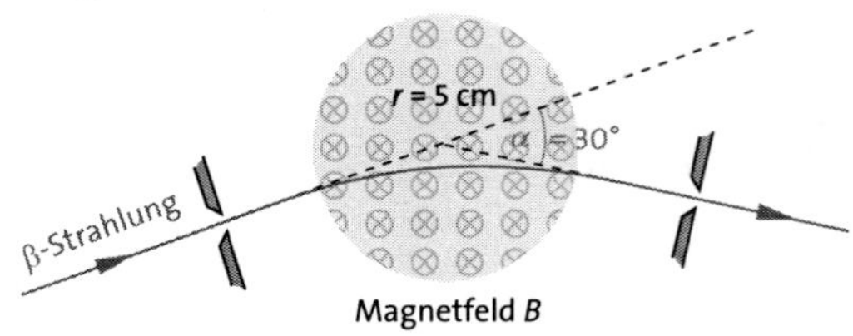

Lösung:
a) Ein Energiespektrum ist eine Darstellung der Intensität in Abhängigkeit von der Energie. Im Magnetfeld B durchlaufen die β-Teilchen einen Kreisbogen vom Radius R mit $r/R = \tan(\alpha/2)$, d. h. mit dem Winkel α wird der Radius der Kreisbahn bestimmt. Für den Impuls p der Teilchen gilt $p = m\,v = e\,R\,B$. Also gehören zu jeder magnetischen Feldstärke B Teilchen mit bestimmtem Impuls p. Die Energie der Teilchen ergibt sich aus $E^2 - p^2 c^2 = m_0^2 c^4$.

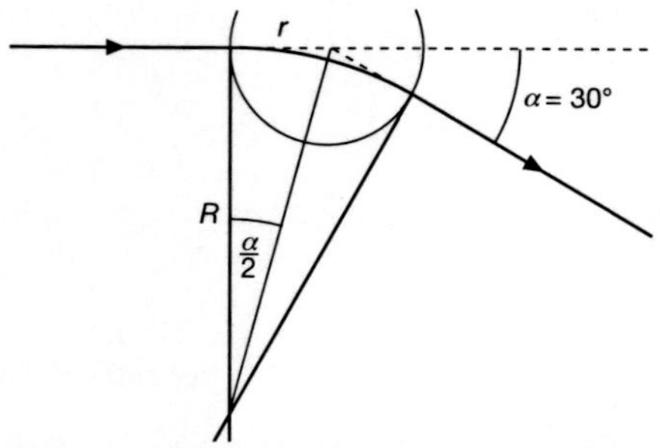

b) Es gilt $e/m = v/(RB)$. Unter Berücksichtigung der relativistischen Massenzunahme folgt:

$$\frac{e}{m_0} = \frac{v}{RB\sqrt{1 - v^2/c^2}} = 1{,}76 \cdot 10^{11}\,\frac{\text{As}}{\text{kg}}$$

Dieses Ergebnis weicht nur etwas vom klassischen Wert ab, da die Geschwindigkeit der Elektronen noch nicht sonderlich groß ist im Vergleich zur Lichtgeschwindigkeit.

3.2 Aufbau und Zerfall von Atomkernen

Seite 65

1. Berechnen Sie für folgende Nuklide die Bindungsenergie pro Nukleon: ^{3}H, ^{3}He, ^{14}N, ^{16}O, ^{20}Ne, ^{24}Mg und ^{28}Si (Atommassen → S. 133). Erklären Sie den Unterschied bei den ersten beiden Nukliden.
   Lösung:
   Mit der Formel $\Delta m = Z(m_e + m_p) + N m_N - m_A$ lässt sich der Massendefekt und damit die freiwerdende Bindungsenergie über Multiplikation mit c^2 berechnen. Division durch die Massenzahl A liefert den Wert für die Bindungsenergie pro Nukleon:
   ^{3}H: 2,83 MeV pro Nukleon
   ^{3}He: 2,57 MeV pro Nukleon
   Bei ^{3}He kommt ein geringerer Wert heraus, da der Kern zwei Protonen enthält. Diese besitzen zusammen potentielle Energie, sodass beim Zusammenfügen der Nukleonen weniger Energie frei wird. Für die restlichen Kerne ergeben sich die folgenden Werte für die mittlere Bindungsenergie pro Nukleon:
   ^{14}N: 7,48 MeV; ^{16}O: 7,98 MeV; ^{20}Ne: 8,03 MeV; ^{24}Mg: 8,26 MeV; ^{28}Si: 8,45 MeV

2. Bestimmen Sie die Separationsenergie des zweiten Neutrons eines ^{4}He-Kerns.
   Lösung:
   Es wird der Massendefekt berechnet, der sich durch Hinzufügen eines Neutrons zu ^{3}He ergibt:
   $\Delta m = m_{\text{He}3} + m_n - m_{\text{He}4}$
   Umrechnung in Energie liefert den Wert 20,56 MeV.

Seite 67

1. Erklären Sie, wie instabile Nuklide oberhalb bzw. unterhalb des Stabilitätsbandes ihr Verhältnis der Protonen- zu Neutronenanzahl verändern müssen, damit sie näher an das Stabilitätsband herankommen.
   Lösung:
   Die Nuklide oberhalb des Stabilitätsbandes besitzen im Vergleich zu den stabilen Nukliden zu viele Protonen. Das Verhältnis von Protonenzahl zu Neutronenzahl muss also verringert werden. Die Nuklide unterhalb des Stabilitätsbandes besitzen zu wenige Protonen, d. h. das oben genannte Verhältnis muss vergrößert werden.

2. Stellen Sie mithilfe der Nuklidkarte (→ S. 135) die Zerfallsreihe mit Reaktionsgleichungen für Americium241 und für Radium226 auf.
Lösung:
Es werden nur die Zerfallsarten und die Zwischennuklide angegeben. Bei den Reaktionsgleichungen sind die emittierten Teilchen noch zu ergänzen:

$^{241}Am \xrightarrow{\alpha} {}^{237}Np \xrightarrow{\alpha} {}^{233}Pa \xrightarrow{\beta} {}^{233}U \xrightarrow{\alpha}$
$^{229}Th \xrightarrow{\alpha} {}^{225}Ra \xrightarrow{\beta} {}^{225}Ac \xrightarrow{\alpha} {}^{221}Fr \xrightarrow{\alpha}$
$^{217}At \xrightarrow{\alpha} {}^{213}Bi \xrightarrow{\beta} {}^{213}Po \xrightarrow{\alpha} {}^{209}Pb \xrightarrow{\beta}$
^{209}Bi

^{213}Bi hat einen zweiten Zerfallskanal – es kann sich auch durch α-Zerfall umwandeln:

$^{213}Bi \xrightarrow{\alpha} {}^{209}Tl \xrightarrow{\beta} {}^{209}Pb \xrightarrow{\beta} {}^{209}Bi$

Bei dem Zerfall von ^{226}Ra werden jetzt nur die Hauptzerfallskanäle betrachtet. Einige Zwischennuklide können sich mit einer geringen Wahrscheinlichkeit auch anders umwandeln.

$^{226}Ra \xrightarrow{\alpha} {}^{222}Rn \xrightarrow{\alpha} {}^{218}Po \xrightarrow{\alpha} {}^{214}Pb \xrightarrow{\beta}$
$^{214}Bi \xrightarrow{\beta} {}^{214}Po \xrightarrow{\alpha} {}^{210}Pb \xrightarrow{\beta} {}^{210}Bi \xrightarrow{\beta}$
$^{210}Po \xrightarrow{\alpha} {}^{206}Pb$

Seite 71

1. Bei der Umwandlung von Protactinium234 in Uran234 unter β-Emission wurden folgende bereits um die Nullrate bereinigte Zählraten gemessen:

t in s	30	60	90	120	150	180	210	240	270
n in $\frac{1}{10\,s}$	236	173	128	98	71	56	38	30	19

a) Bestimmen Sie mit einer grafischen Darstellung die Zerfallskonstante λ und die Halbwertszeit.
b) Berechnen Sie die Zählrate nach 6 min. Bestimmen Sie die Zeit, nach der die Zählrate nur noch $\frac{1}{10}$ bzw. $\frac{1}{100}$ ihres Anfangswertes beträgt.
Lösung:
a) Die Messdaten werden in einem Diagramm dargestellt, wobei die Zählraten zu logarithmieren sind. Die Steigung der Geraden ergibt die Zerfallskonstante λ. Aus dieser lässt sich die Halbwertszeit bestimmen: $\lambda = 0{,}01\,\frac{1}{s}$, $t_H = 69{,}3$ s.

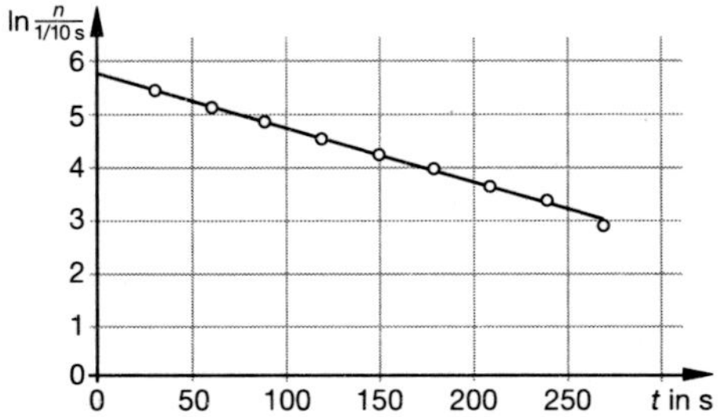

b) Die Zählrate kann aus der Gleichung der Geraden bestimmt werden:
$\ln\left(\frac{n}{1/10\,s}\right) = -0{,}01\,\frac{1}{s}\,t + 5{,}79$
Daraus ergibt sich $n(t) = 327 \cdot \frac{1}{10\,s} e^{-0{,}01\,s^{-1}\,t}$.
Einsetzen der 360 s liefert $n = 8{,}9\,/\,10$ s.
Lösen der Gleichung $e^{-\lambda t} = \frac{1}{10}$ ergibt $t = 230$ s.
Zweiter Teil der Aufgabe analog: $t = 460$ s.

2. Bestimmen Sie den Bruchteil einer Menge ^{226}Ra mit $t_H = 1600$ a, der nach 10 Jahren noch nicht zerfallen ist.
Lösung:
$N/N_0 = (1/2)^{10\,a/1600\,a} = 0{,}996 = 99{,}6\,\%$

3. Berechnen Sie die Menge Blei, die seit Bestehen der Erde (also seit $4{,}55 \cdot 10^9$ a) aus 1 kg ^{238}U mit $t_H = 4{,}5 \cdot 10^9$ a entstanden ist.
Lösung:
Wird die Masse des Uran durch die Molmasse dividiert, so ergibt sich die Stoffmenge des Uran in mol: 1000 g/(238 g/mol) = 4,2 mol.
Von diesen 4,2 mol sind noch

$$4{,}2\ \text{mol} \cdot \left(\frac{1}{2}\right)^{t/t_H} \approx 2{,}08\ \text{mol}$$

übrig, d. h. 2,12 mol sind zerfallen. Das Endnuklid in der Zerfallsreihe ist ^{206}Pb. Die Masse ergibt sich zu 2,12 mol · 206 g/mol = 437 g.
(Die Halbwertszeiten der Zwischennuklide sind wesentlich kleiner als die des ^{238}U, sodass davon ausgegangen werden kann, dass das Endnuklid schon erreicht worden ist.)

4. Aus der Messung der Masse und der Aktivität lässt sich die Halbwertszeit der sehr langlebigen Substanz ^{232}Th zu $t_H = 1{,}39 \cdot 10^{10}$ a bestimmen. Bestimmen Sie die Zahl der in einer Sekunde zerfallenden Kerne bei einer Thoriummasse von 1,0 g.
Lösung:
1,0 g Thorium enthält $\frac{1}{232}$ mol Thoriumatome.
$A = \lambda N = (\ln 2 / t_H)\,N = 1{,}29 \cdot 10^{11}\ a^{-1} = 4104\ s^{-1}$
Berücksichtigt man die stochastischen Schwankungen, d. h. einen relativen Fehler von 1,5 %, so sind nur zwei Stellen relevant, also $A = 4{,}1 \cdot 10^3\ s^{-1}$.

5. a) Berechnen Sie die Masse eines Americium241-Präparats mit einer Aktivität von 333 kBq.
b) Bestimmen Sie die Aktivität von 2,0 μg ^{210}Po ($t_H = 138$ d).
Lösung:
a) Der Nuklidkarte wird die Halbwertszeit $t_H = 432{,}2$ a entnommen. Es gilt $A = \lambda N = (\ln 2 / t_H)\,N$. Die Gleichung wird nach N umgestellt und mittels der Molmasse die Masse berechnet.
$1{,}087 \cdot 10^{-8}$ mol entsprechen einer Masse von 2,62 μg.
b) $A = \lambda N = (\ln 2 / t_H)\,N$. N wird mithilfe der Molmasse bestimmt und eingesetzt: $A = 333$ MBq.

6. Erläutern Sie den Einfluss der im Text genannten Phänomene auf das Verhältnis der beiden Kohlenstoffisotope in der Atmosphäre.
Lösung:
Die Gleichgewichtskonzentration der beiden Kohlenstoffisotope in der Atmosphäre ist zeitlich nicht konstant, muss aber für die Altersbestimmung genauestens bekannt sein. Verschiedene Faktoren wie Schwankungen des Erdmagnetfeldes, die vermehrte Verbrennung fossiler Energieträger oder oberirdische Atomwaffentests haben Einfluss auf den Gleichgewichtswert.
Durch Schwankungen des Erdmagnetfeldes wird die Höhenstrahlung beeinflusst. Durch Partikel der kosmischen Strahlung werden in den oberen Atmosphärenschichten hochenergetische Teilchen erzeugt, die ihrerseits weitere Teilchen erzeugen, u. a. auch die Neutronen, welche gemäß der Reaktionsgleichung $^1_0\text{n} + ^{14}_7\text{N} \rightarrow ^{14}_6\text{C} + ^1_1\text{p}$ das radioaktive Kohlenstoffisotop ^{14}C erzeugen. Da das Erdmagnetfeld einen Schutz vor der kosmischen Strahlung darstellt, indem es geladene Teilchen ablenkt, beeinflussen Schwankungen des Erdmagnetfelds auch die Konzentration von ^{14}C gegenüber dem Kohlenstoffisotop ^{12}C.
Die vermehrte Verbrennung fossiler Energieträger erhöht den Anteil von ^{12}C in der Atmosphäre, wohingegen das durch kosmische Strahlung erzeugte ^{14}C dadurch unbeeinflusst bleibt. Damit verändert sich ebenfalls das Verhältnis zwischen den beiden Kohlenstoffisotopen.
Durch oberirdische Atomwaffentests werden Neutronen freigesetzt, welche die Entstehung von ^{14}C in der Atmosphäre begünstigen. Auch hier verändert sich gegebenenfalls das Verhältnis zwischen den Kohlenstoffisotopen.

7. Die Aktivität lebenden Holzes beträgt aufgrund seines ^{14}C-Gehaltes $A = 0{,}208$ Bq je Gramm Kohlenstoff. Die Halbwertszeit von ^{14}C ist $t_\text{H} = 5730$ a.
a) Bestimmen Sie die auf ein Gramm bezogene Aktivität von Holz, das vor 500 Jahren geschlagen wurde.
b) Berechnen Sie das Alter von Holz, das eine Aktivität von 6,5 min^{-1} je Gramm Kohlenstoff aufweist.
c) Am Toten Meer wurden in einer Höhle Bibeltexte des Buches Jesaja entdeckt. Bei einer daraus gewonnenen Kohlenstoffprobe der Masse 0,25 g werden 162 Zerfälle pro Stunde gemessen. Bestimmen Sie das Alter des Bibeltextes.
Lösung:
a) $A = A_0 e^{-\lambda t} = A_0 e^{-\frac{\ln 2}{t_\text{H}} t} = 0{,}208\ \text{s}^{-1} e^{-\ln 2 \cdot \frac{500\ \text{a}}{5730\ \text{a}}} = 0{,}196\ \text{s}^{-1}$
b) Aus $A/A_0 = e^{-\lambda t} = e^{-\frac{\ln 2}{t_\text{H}} t}$ ergibt sich $-\frac{\ln 2}{t_\text{H}} t = \ln \frac{A}{A_0}$
und damit für die Zeit:
$$t = -\frac{\ln (A/A_0)}{\ln 2} t_\text{H} = -\frac{\ln [(6{,}5/60)\ \text{s}^{-1}/0{,}208\ \text{s}^{-1}]}{\ln 2} \cdot 5730\ \text{a}$$
$= 5{,}4 \cdot 10^3$ a
c) Bei 1,0 g Kohlenstoff wäre die Aktivität
$A = 4 \cdot 162 \frac{1}{\text{h}} = \frac{4 \cdot 162}{3600\ \text{s}} = 0{,}18\ \text{s}^{-1}$.
Analog wie bei Teilaufgabe b) ergibt sich für die verstrichene Zeit
$$t = -\frac{\ln (A/A_0)}{\ln 2} t_\text{H} = -\frac{\ln (0{,}18\ \text{s}^{-1}/0{,}208\ \text{s}^{-1})}{\ln 2} \cdot 5730\ \text{a}$$
$= 1{,}2 \cdot 10^3$ a.

8. 1991 wurde im Gletschereis der Ötztaler Alpen eine mumifizierte Leiche gefunden, für die die Presse den Namen „Ötzi“ prägte. Zur Altersbestimmung wurden Gewebeproben nach der ^{14}C-Methode untersucht.
a) ^{14}C ist ein β^--Strahler. Geben Sie dafür eine Begründung an und schreiben Sie die Zerfallsgleichung auf.
b) Erklären Sie kurz die ^{14}C-Methode zur Altersbestimmung.
c) Die Aktivität einer Probe des „Ötzi“ betrug 58 % der Aktivität einer Probe, die heute einem lebenden Organismus entnommen wurde und die gleiche Menge ^{12}C enthält. Die Halbwertszeit von ^{14}C beträgt 5730 Jahre. Berechnen Sie, vor wie vielen Jahren „Ötzi“ gestorben ist.
d) Zusätzliche wissenschaftliche Untersuchungen ergeben ein wahrscheinlicheres Alter von 5300 Jahren. Berechnen Sie, um wie viel Prozent das mit der ^{14}C-Methode ermittelte Alter von diesem Wert abweicht.
e) Schildern Sie, mit welcher Annahme es sich erklären lässt, dass die Berechnung in Teilaufgabe d) ein geringeres Alter liefert.
Lösung:
a) ^{14}C hat relativ gesehen einen hohen Neutronenanteil im Kern. Durch β^--Zerfall wandelt sich ein Neutron des Kerns in ein Proton um, sodass der Tochterkern auf der Linie stabiler Nuklide in der Nuklidkarte liegt:
$$^{14}_6\text{C} \rightarrow ^{14}_7\text{N}^+ + ^{0}_{-1}\text{e}^- + ^0_0\bar{\nu}$$
b) Die ^{14}C-Methode wird zur Datierung von Fundstücken eingesetzt, die organische Materialien enthalten. Das Verfahren beruht auf der Tatsache, dass in der Atmosphäre durch die Höhenstrahlung ständig das radioaktive Kohlenstoffisotop ^{14}C entsteht. Zugrunde liegt folgende Reaktionsgleichung, wonach schnelle Neutronen mit dem Stickstoff der Luft reagieren:
$$^1_0\text{n} + ^{14}_7\text{N} \rightarrow ^{14}_6\text{C} + ^1_1\text{p}$$
Chemisch verhalten sich ^{14}C-Atome genauso wie ^{12}C-Atome und reagieren beispielsweise zu CO_2, das ständig von lebenden Organismen mit der Atmosphäre ausgetauscht wird. Ist die ^{14}C-Konzentration in der Luft konstant, so stellt sich in den lebenden Organismen ein Gleichgewichtswert der Konzentra-

tion der Kohlenstoffisotope ^{12}C und ^{14}C ein. Dies führt bei 1 g Kohlenstoff aus lebender Materie im Mittel zu 12,5 β-Zerfällen des ^{14}C in der Minute. Stirbt das Lebewesen, so wird der Stoffwechsel gestoppt und kein radioaktiver Kohlenstoff mehr aufgenommen. Dieser zerfällt aber mit seiner charakteristischen Halbwertszeit von (5730 ± 40) Jahren. Damit ändert sich das Verhältnis von ^{14}C zu ^{12}C zugunsten von ^{12}C und die Aktivität sinkt. Anhand der Messung dieses Verhältnisses können somit der Todeszeitpunkt des Lebewesens und damit das Alter einer Probe aus organischem Material bestimmt werden.

Die zur Aktivitätsbestimmung notwendige Kohlenstoffprobe wird durch Verbrennen des organischen Materials gewonnen. Wird die noch vorhandene Aktivität A, umgerechnet auf eine Probenmasse von 1 g, mit der Anfangsaktivität $A_0 = 0{,}208$ Bq verglichen, so ergibt sich das Alter aufgrund der Beziehung $A = A_0\, e^{-\lambda t}$ zu

$$t = -\frac{1}{\lambda}\ln\left(\frac{A}{A_0}\right) = -\frac{\ln(A/A_0)}{\ln 2}\, t_H.$$

c) Aus der Beziehung $A/A_0 = 0{,}58 = e^{-\lambda t} = e^{-\frac{\ln 2}{t_H}t}$ folgt

$-\frac{\ln 2}{t_H} t = \ln 0{,}58$ und daraus $t = 4503\ \text{a} = 4{,}5\cdot 10^3\ \text{a}$.

d) Der relative Fehler beträgt $\frac{5300\ \text{a} - 4500\ \text{a}}{5300\ \text{a}} = 15\,\%$.

e) Die ^{14}C-Konzentration in der Atmosphäre verändert sich im Laufe der Zeit. Gemessen wurde eine höhere als die aufgrund des eigentlichen Alters zu erwartende Aktivität. Anscheinend waren in der Leiche des „Ötzi“ bei dessen Tod mehr ^{14}C-Atome enthalten als dies heutzutage der Fall sein würde. Grund dafür ist eine sich aufgrund von Umwelteinflüssen verändernde ^{14}C-Konzentration in der Atmosphäre.

9. Beim Reaktorunfall in Tschernobyl 1986 wurde u. a. das Isotop ^{137}Cs ($m_{Cs137} = 136{,}907\,08$ u) freigesetzt. Es ist ein β^--Strahler mit einer Halbwertszeit von 30 Jahren.

a) Kurz nach dem Unfall wurde festgestellt, dass die vom ^{137}Cs ausgehende Strahlung in Bayern eine Bodenaktivität von im Mittel ca. 10 kBq pro m^2 hervorrief. Berechnen Sie die Masse des ^{137}Cs, das auf die Fläche von Bayern ($70{,}5\cdot 10^3\ \text{km}^2$) niederging.

b) Berechnen Sie, wie viel Prozent der ursprünglichen Aktivität heute ohne den vermindernden Einfluss von Auswaschungen feststellbar wäre.

c) Das sich auf dem Boden absetzende ^{137}Cs gelangte auch in die Frischmilch, pro Liter etwa $4{,}5\cdot 10^{-14}$ kg des radioaktiven Stoffes. Berechnen Sie, wie viele ^{137}Cs-Atome nach dem Reaktorunfall in Tschernobyl in einem Liter Frischmilch enthalten waren und welche Aktivität demzufolge ein Liter Milch hatte.

Lösung:

a) Gesamtaktivität von ^{137}Cs in Bayern:

$70{,}5\cdot 10^9\ \text{m}^2\cdot 10\ \text{kBq/m}^2 = 70{,}5\cdot 10^{13}\ \text{kBq}$

Für die Aktivität gilt $A = \lambda N$. Daraus ergibt sich für die Anzahl der ^{137}Cs-Atome

$$N = \frac{A}{\lambda} = \frac{A\, t_H}{\ln 2}.$$

Die über Bayern niedergegangene Masse an ^{137}Cs ist demzufolge

$$m = N\, m_{Cs137} = \frac{A\, t_H}{\ln 2} m_{Cs137}$$

$$= \frac{7{,}05\cdot 10^{14}\ \text{Bq}\cdot 30\cdot 365\cdot 24\cdot 3600\ \text{s}}{\ln 2}\cdot 136{,}906\,77\ \text{u}$$

$$= 1{,}32\cdot 10^{25}\ \text{u} = 0{,}22\ \text{kg}.$$

b) $A/A_0 = e^{-\lambda t} = e^{-\frac{\ln 2}{t_H}t} = e^{-\ln 2\cdot\frac{24\ \text{a}}{30\ \text{a}}} = 57\,\%$ (Stand: 2010)

c) Pro Liter Milch waren $4{,}5\cdot 10^{-14}$ kg ^{137}Cs enthalten, also

$$N = \frac{m}{m_{Cs137}} = \frac{4{,}5\cdot 10^{-14}\ \text{kg}}{136{,}906\,77\cdot 1{,}660\,54\cdot 10^{-27}\ \text{kg}}$$

$$= 2{,}0\cdot 10^{11}\ ^{137}\text{Cs-Kerne}.$$

Die Aktivität von 1 Liter Milch betrug

$$A = \lambda N = \frac{\ln 2}{t_H} N = \frac{\ln 2}{30\cdot 365\cdot 24\cdot 3600\ \text{s}}\cdot 2{,}0\cdot 10^{11}$$

$$= 0{,}15\ \text{kBq}.$$

10. ^{40}K ($m_{K40} = 39{,}963\,990$ u) liefert einen bedeutenden Anteil zur natürlichen inneren Strahlenbelastung eines Menschen. Das radioaktive ^{40}K ist zu 0,0117 % in natürlichem Kalium vorhanden.

a) Eine Probe KCl der Masse 3,0 g besitzt eine konstante Aktivität von 48,8 Bq. Berechnen Sie die zugehörige Halbwertszeit und deuten Sie das Ergebnis. ($m_{Cl} = 35{,}453$ u; zur Kontrolle: $t_H = 1{,}3\cdot 10^9$ a)

b) Der Körper eines Erwachsenen enthält durchschnittlich 0,14 kg natürliches Kalium. Berechnen Sie die daraus resultierende Aktivität.

Lösung:

a) Aus $A = \lambda N = \lambda\cdot 0{,}0117\,\%\cdot m/m_{KCl}$ folgt

$$t_H = \frac{\ln 2}{\lambda} = \ln 2\cdot\frac{m}{A\, m_{KCl}}\cdot 0{,}0117\,\%$$

$$= \ln 2\cdot\frac{1{,}17\cdot 10^{-4}\cdot 3{,}0\cdot 10^{-3}\ \text{kg}}{48{,}8\ \text{Bq}\cdot 74{,}551\cdot 1{,}660\,54\cdot 10^{-27}\ \text{kg}}$$

$$= 4{,}2\cdot 10^{16}\ \text{s} = 1{,}3\cdot 10^9\ \text{a}.$$

Deutung: 1,3 Milliarden Jahre entsprechen ungefähr einem Drittel des Erdalters. ^{40}K baut sich demzufolge nur sehr langsam ab. Die Halbwertszeit entspricht etwa derjenigen von Uran.

b) 0,14 kg natürliches Kalium enthält $m = 0{,}0117\,\% \cdot 0{,}14\text{ kg} = 1{,}6 \cdot 10^{-5}\text{ kg } ^{40}\text{K}$.
Dessen Aktivität beträgt

$$A = \lambda N = \frac{\ln 2}{t_H} \frac{m}{m_{K40}}$$
$$= \frac{\ln 2}{4{,}2 \cdot 10^{16}\text{ s}} \frac{1{,}6 \cdot 10^{-5}\text{ kg}}{39{,}953\,585 \cdot 1{,}660\,54 \cdot 10^{-27}\text{ kg}}$$
$$= 4{,}1\text{ kBq}.$$

11. Die Halbwertszeit von Uran beträgt $4{,}5 \cdot 10^9$ a. Berechnen Sie das Alter eines Minerals, das ein Bleiatom auf zwei Uranatome enthält.
Lösung:
Unter der Voraussetzung, dass zunächst kein Blei vorhanden war, d.h. dass das Blei durch den Zerfall des Urans entstanden ist, ergibt sich aus dem Zerfallsgesetz $t = (1/\lambda) \ln[(N + N')/N]$. Einsetzen der Werte liefert eine Zeit von ca. 2,6 Milliarden Jahren.

3.3 Ein einfaches quantenphysikalisches Kernmodell

Seite 73

1. Das Nuklid ^{238}Pu ist ein α-Strahler.
a) Geben Sie die Gleichung des Zerfalls von ^{238}Pu an und berechnen Sie die gesamte bei einem Zerfall frei werdende Energie E. [Zur Kontrolle: $E = 5{,}59$ MeV]
b) Das α-Teilchen gewinnt seine kinetische Energie nach klassischer Vorstellung dadurch, dass es durch die elektrische Abstoßung im Potential des Restkerns beschleunigt wird.
Schätzen Sie die beim Zerfall insgesamt auf diese Weise entstehende kinetische Energie ab, indem Sie davon ausgehen, dass sich das α-Teilchen gerade vom Restkern ablöst (s. **Abb. rechts**). Verwenden Sie als Formel für den Radius von Atomkernen $r = r_0 \sqrt[3]{A}$ mit der Massenzahl A und $r_0 = 1{,}4 \cdot 10^{-15}$ m. [Zur Kontrolle: $E_{kin} = 24$ MeV]

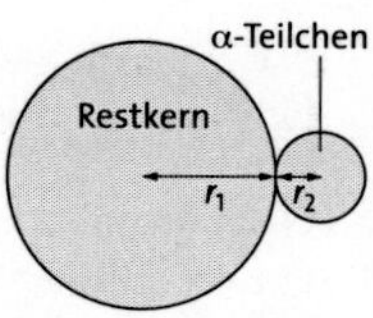

c) Das Ergebnis von Teilaufgabe b) widerspricht dem in Teilaufgabe a) berechneten E-Wert. Der Widerspruch kann mit einer quantenmechanischen Vorstellung erklärt werden. Erläutern Sie diese Modellvorstellung. Skizzieren Sie dazu den Potentialtopf des Restkerns für α-Teilchen und machen Sie in der Skizze deutlich, wo die beiden berechneten Energiewerte erscheinen.
Lösung:

a) $^{238}_{94}\text{Pu} \to {}^{234}_{92}\text{U} + {}^{4}_{2}\text{He}$

Als Reaktionsenergie ergibt sich

$$E = \Delta m c^2 = (m_{Pu238} - (m_{U234} + m_{He4}))\,c^2$$
$$= (238{,}049\,51\text{ u}) - 234{,}040\,95\text{ u} + 4{,}002\,603\text{ u})\,c^2$$
$$= 5{,}957 \cdot 10^{-5} \cdot 931{,}49\text{ MeV} = 5{,}549\text{ MeV}$$

b) Radius des Restkerns:

$$r_{U234} = \sqrt[3]{234}\, r_0 = \sqrt[3]{234} \cdot 1{,}4 \cdot 10^{-15}\text{ m} = 8{,}6 \cdot 10^{-15}\text{ m}$$

Radius des α-Teilchens:

$$r_{He4} = \sqrt[3]{4}\, r_0 = \sqrt[3]{4} \cdot 1{,}4 \cdot 10^{-15}\text{ m} = 2{,}2 \cdot 10^{-15}\text{ m}$$

Abstand der beiden Kernmittelpunkte:

$$r_{U234} + r_{He4} = 8{,}6 \cdot 10^{-15}\text{ m} + 2{,}2 \cdot 10^{-15}\text{ m} = 10{,}8 \cdot 10^{-15}\text{ m}$$

Die potentielle Energie des α-Teilchens gegenüber dem Bezugspunkt im Unendlichen ist

$$E_{pot} = \frac{92 e \cdot 2 e}{4 \pi \varepsilon_0 \cdot (r_{U234} + r_{He4})}$$
$$= \frac{(92 \cdot 2) \cdot 1{,}6022 \cdot 10^{-19}\text{ C}}{4 \pi \cdot 8{,}8542 \cdot 10^{-12}\text{ Vs/Am} \cdot 10{,}8 \cdot 10^{-15}\text{ m}} = 24\text{ MeV}.$$

(Gerechnet wurde mit den ungerundeten Werten für r_{U234} bzw. r_{He4}.)

c) Das α-Teilchen ist im Potentialtopf des Restkerns gefangen. Der von der Kernkraft herrührende Potentialtopf geht nach außen hin in das Coulomb-Potential aufgrund der elektrischen Abstoßung zwischen Restkern und α-Teilchen über.

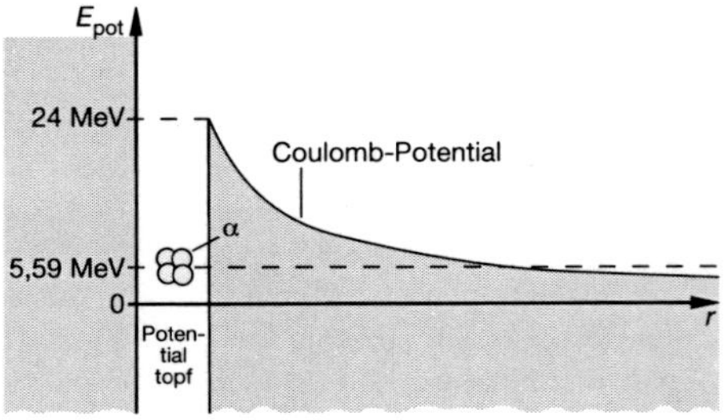

Nach klassischer Vorstellung kann das α-Teilchen den Potentialwall der „Höhe" 24 MeV nicht überwinden.
Nach quantenmechanischer Vorstellung gibt es eine gewisse Aufenthaltswahrscheinlichkeit auch außerhalb des Potentialwalls. Deshalb können α-Teilchen mit einer Energie von 5,59 MeV den Potentialwall mit einer gewissen Wahrscheinlichkeit „durchtunneln".

Seite 74

1. Bestimmen Sie die maximale Energie der α-Teilchen aus dem Zerfall von Pu239. Begründen Sie die Entstehung eines Linienspektrums und erläutern Sie, warum beim α-Zerfall auch γ-Strahlung entsteht.
   Lösung:
   $^{239}_{94}\text{Pu} \rightarrow {}^{235}_{92}\text{U} + {}^{4}_{2}\text{He}$
   Aus der Massendifferenz von Mutter- und Tochternuklid lässt sich die maximale Energie der α-Teilchen abschätzen (weil die Rückstoßenergie des Tochterkerns vernachlässigt wird):
   $E_\alpha = (m_A - m_T - m_{He})\,c^2 = 5{,}25$ MeV
   Es tritt ein Linienspektrum auf, da sich das Tochternuklid in unterschiedlich angeregten Zuständen befinden kann. Es ist also zusätzlich eine γ-Emission zu beobachten, die z.B. mit Szintillationszählern gemessen werden kann. Somit gibt das Linienspektrum Informationen über die Anregungszustände des Tochternuklids.

2. Bestimmen Sie die kinetische Energie eines α-Teilchens, das aus einem ^{226}Ra-Nuklid emittiert wird.
   Lösung:
   $E_\alpha = (m_A - m_T - m_{He})\,c^2 = 4{,}88$ MeV

3. Das von einem ^{235}U-Kern emittierte α-Teilchen hat eine kinetische Energie von 4,58 MeV. Berechnen Sie die Masse des entstehenden ^{231}Th-Nuklids.
   Lösung:
   $m_T = m_A - m_{He} - \frac{E_\alpha}{c^2} = 231{,}036$ u

Seite 75

1. C14 ist ein β-Strahler. Stellen Sie die Zerfallsgleichung auf und berechnen Sie die maximale Energie der Elektronen aus den Atommassen. Erklären Sie, warum hier ein kontinuierliches Spektrum auftritt.
   Lösung:
   $^{14}_{6}\text{C} \rightarrow {}^{14}_{7}\text{N} + {}^{0}_{-1}\text{e} + {}^{0}_{0}\bar{\nu}_e$
   Aus der Massendifferenz von Mutter- und Tochternuklid lässt sich die maximale Energie bestimmen:
   $E_{\beta^-,\max} = (m_A - m_T)\,c^2 = 168 \cdot 10^{-6}\,\text{u}\,c^2 = 156{,}7$ keV
   Die Elektronen des β-Zerfalls besitzen ein kontinuierliches Energiespektrum, da es sich bei dieser Zerfallsart um einen Drei-Körper-Prozess handelt. Die frei werdende Energie wird unterschiedlich auf das Elektron-Antineutrino und auf das Elektron verteilt.

2. Vergleichen Sie die Energiespektren eines α-Strahlers sowie eines β-Strahlers miteinander. Erklären Sie, warum das damit jeweils verbundene γ-Spektrum stets diskret ist.
   Lösung:
   Das Energiespektrum eines α-Strahlers ist diskret, d.h. die vom Strahler ausgesandten α-Teilchen haben ganz bestimmte, scharf voneinander getrennte Energiewerte. Neben Teilchen mit einer Maximalenergie gibt es solche mit geringerer Energie, wenn ein angeregter Kern entsteht, der einen Teil der Reaktionsenergie als Anregungsenergie des Kerns aufnimmt.
   Das Energiespektrum eines β-Strahlers ist demgegenüber kontinuierlich. Die emittierten β-Teilchen haben Energien zwischen null und einer bestimmten Maximalenergie, die sich aus der zur Verfügung stehenden Reaktionsenergie (abzüglich der vom Tochterkern selbst aufgenommenen Rückstoßenergie) ergibt. Grund dafür ist die Beteiligung eines weiteren, Energie aufnehmenden Teilchens, des Antineutrinos.
   Das damit verbundene γ-Spektrum ist stets diskret, da ein Kern nach den Erkenntnissen der Quantenphysik nur ganz bestimmte Anregungszustände mit jeweils diskreten Energien besitzt und γ-Quanten dann entstehen, wenn ein solcher angeregter Kern in einen energieärmeren Zustand übergeht. Für die Übergangsenergien sind nur bestimmte Energiewerte möglich, demzufolge auch für die γ-Quanten.

3.4 Wechselwirkung von Strahlung mit Materie

Seite 77

1. Berechnen Sie die Reichweite von α-Teilchen der kinetischen Energie 5,0 MeV in Luft. Gehen Sie davon aus, dass die Ionisierungsenergie eines Luftmoleküls im Mittel 10 eV beträgt und die Luftmoleküle einen mittleren Abstand von etwa $3{,}0 \cdot 10^{-8}$ m haben.
   Lösung:
   Aufgrund ihres diskreten Energiespektrums haben die meisten α-Teilchen, die von einem radioaktiven Präparat ausgesandt werden, beim Eindringen in das Absorbermaterial die gleiche kinetische Energie, hier 5,0 MeV. Diese verringert sich bei jeder Ionisation um die Ionisierungsenergie. Bei einer kinetischen Energie von 5,0 MeV und einer Ionisierungsenergie von etwa 10 eV ergeben sich $5{,}0\ \text{MeV}/10\ \text{eV} = 5{,}0 \cdot 10^5$ Stöße, bis ein α-Teilchen seine gesamte kinetische Energie verloren hat. In Luft beträgt der mittlere Abstand der Gasteilchen etwa $3{,}0 \cdot 10^{-8}$ m. Ein α-Teilchen wechselwirkt mit nahezu jedem Atom, das auf seinem Weg liegt. Die Reichweite von α-Strahlung in Luft beträgt demzufolge etwa $5{,}0 \cdot 10^5 \cdot 3{,}0 \cdot 10^{-8}\ \text{m} = 1{,}5$ cm. In einer Nebelkammer gehen von einem α-Strahler deshalb Spuren aus, die nur einige Zentimeter lang sind.

2. Berechnen Sie die Reichweite von β-Teilchen der kinetischen Energie 1,0 MeV in Luft. Gehen Sie davon aus, dass bei β-Strahlung im Mittel nur jedes tausendste Gasteilchen ionisiert wird. (Ionisierungsenergie eines Luftmoleküls 10 eV; mittlerer Abstand der Luftmoleküle $3{,}0 \cdot 10^{-8}$ m)
   Lösung:
   Elektronen können ihre Energie durch Ionisationsbremsung an das Absorbermaterial abgeben; dabei bestehen die gleichen Abhängigkeiten wie bei schweren Teilchen. In der Nebelkammer wird allerdings eine wesentlich schwächere Teilchenspur als bei α-Strahlung beobachtet. Dies liegt an der geringeren Ionisationsfähigkeit der β-Strahlung. Im Mittel wird nur jedes tausendste Gasteilchen ionisiert. Bei einer Teilchenenergie von 1,0 MeV ergibt sich damit eine Reichweite von
   $(1{,}0\ \text{MeV}/10\ \text{eV}) \cdot 1000 \cdot 3{,}0 \cdot 10^{-8}\ \text{m} = 3{,}0$ m.

Seite 78

1. Erläutern Sie die wesentlichen physikalischen Prozesse bei der Wechselwirkung von Strahlung mit Materie. Gehen Sie insbesondere auf die unterschiedlichen Absorptionsmechanismen für geladene Teilchenstrahlung bzw. für elektromagnetische Strahlung ein.
   Lösung:
   Geladene Teilchen können durch Stoßprozesse mit den Atomen und Molekülen diese anregen oder ionisieren und dabei Energie abgeben (Ionisationsbremsung). Werden die Teilchen im Coulombfeld des Kerns abgelenkt, so entsteht Bremsstrahlung. Zusätzlich können noch elastische und unelastische Stöße mit den Atomkernen stattfinden. Ist die Geschwindigkeit der Teilchen größer als die Lichtgeschwindigkeit in dem durchsichtigen Stoff, so wird Energie aufgrund des ČERENKOV-Effekts abgegeben. Für die Wechselwirkung von γ-Quanten mit Materie gibt es im Wesentlichen drei Prozesse, nämlich den Fotoeffekt, den Compton-Effekt und die Paarerzeugung. Beim Fotoeffekt überträgt das γ-Quant seine gesamte Energie auf ein Elektron und löst dieses aus. Beim Compton-Effekt wird das Photon an einem Elektron gestreut und ändert dabei seine Richtung. Die Energieabgabe ist vom Streuwinkel abhängig. Bei der Paarerzeugung entstehen ein Elektron und ein Positron.

2. Erklären Sie mithilfe des Diagramms von **Abb. 78.2**, warum der Absorptionskoeffizient für γ-Strahlung in Blei bei einer γ-Quanten-Energie von etwas weniger als zehnmal der Ruheenergie eines Elektrons ein Minimum aufweist.
   Lösung:
   Bei niedrigen Energien der γ-Strahlung dominiert der Fotoeffekt, d.h. durch die γ-Strahlung werden Hüllenelektronen von Atomen abgelöst. Der Compton-Effekt, d.h. die Streuung von γ-Quanten an quasifreien Elektronen (die natürlich ebenfalls einem Atom zuzuordnen sind), trägt im niederenergetischen Bereich ebenfalls zur Entfernung von γ-Quanten aus der radioaktiven Strahlung bei. Beide Effekte haben kaum mehr Einfluss auf die Absorption von γ-Quanten, sobald höhere γ-Energien erreicht werden ($E_\gamma > 10\ E_{0,e}$). In diesem Bereich dominiert die Paarbildung, d.h. ein γ-Quant wandelt sich in ein Elektron-Positron-Paar um (dies ist möglich ab einer Energie von $E_\gamma \geq 2\ E_{0,e}$). Im Bereich von $E_\gamma \approx 10\ E_{0,e}$ ergibt sich ein relatives Minimum des Absorptionskoeffizienten für γ-Strahlung, da keiner der drei Effekte zur Absorption von γ-Strahlung besonders stark ausfällt. Bei kleineren und größeren γ-Energien ist die Wechselwirkungswahrscheinlichkeit durch den Fotoeffekt bzw. die Paarbildung demgegenüber deutlich größer.

Seite 79

1. Ein Körper habe die konstante Gammaaktivität von 5 kBq, wobei je Zerfall 1,5 MeV frei werden. Bestimmen Sie die tägliche Energiedosis, wenn die Strahlung in einer Masse von 7,5 kg nahezu vollständig absorbiert wird. Berechnen Sie die Energiedosisleistung.
   Lösung:
   In einer Sekunde wird die Energie 7,5 GeV emittiert. Auf den Tag berechnet macht das $6{,}48 \cdot 10^{14}$ eV oder $103{,}8 \cdot 10^{-6}$ J. Division durch die Masse ergibt eine tägliche Energiedosis von 1,38 μGy.
   Die Energiedosisleistung beträgt somit 16 pGy/s.

2. In der Humanmedizin wird ^{60}Co (β^--Strahler; t_H = 5,3 a) zur äußerlichen Bestrahlung von Tumoren eingesetzt.
   a) Berechnen Sie die Zerfallsenergie. (Zur Kontrolle: 2,824 MeV)
   b) Ein Organ der Masse 0,90 kg soll durch eine Bestrahlung die Energiedosis 2,0 Gy erhalten. Weil die Bestrahlung von außen erfolgt, werden im Mittel nur 0,50 % der frei werdenden Energie eines ^{60}Co-Strahlers in dem Organ absorbiert. Berechnen Sie, wie viele β^--Zerfälle während der Bestrahlungszeit in der Strahlungsquelle auftreten müssen.
   Lösung:
   a) $^{60}_{27}\mathrm{Co} \rightarrow {}^{60}_{28}\mathrm{Ni}^+ + {}^{0}_{-1}\mathrm{e}^- + {}^{0}_{0}\overline{\nu}$
   Die Zerfallsenergie ist
   $$E = \Delta m c^2 = (m_1 - m_2)\,c^2 = (m_{\mathrm{Co60}} - m_{\mathrm{Ni60}})\,c^2$$
   $$= (59{,}93382\ \mathrm{u} - 59{,}930788\ \mathrm{u})\,c^2$$
   $$= 3{,}032 \cdot 10^{-3}\ \mathrm{u}\,c^2 = 3{,}032 \cdot 10^{-3} \cdot 931{,}49\ \mathrm{MeV}$$
   $$= 2{,}824\ \mathrm{MeV}.$$
   b) Aus $E_{\mathrm{aufgenommen}} = 0{,}50\,\% \cdot E_{\mathrm{freigesetzt}}$
   und $E_{\mathrm{aufgenommen}} = 0{,}90\ \mathrm{kg} \cdot 2{,}0\ \mathrm{J/kg} = 1{,}8\ \mathrm{J}$ folgt
   $$E_{\mathrm{freigesetzt}} = \frac{E_{\mathrm{aufgenommen}}}{0{,}0050} = 360\ \mathrm{J} = 0{,}36\ \mathrm{kJ}.$$
   Damit ergibt sich die Anzahl der β-Zerfälle zu
   $$\Delta N = \frac{E_{\mathrm{freigesetzt}}}{Q} = \frac{0{,}36 \cdot 10^3\ \mathrm{J}}{2{,}824 \cdot 10^6 \cdot 1{,}6022 \cdot 10^{-19}\ \mathrm{J}} = 8{,}0 \cdot 10^{14}.$$

Seite 83

1. Nennen Sie die wichtigsten Schutzmaßnahmen beim Umgang mit radioaktiven Präparaten (mit Begründung).
   Lösung:
   Die sicherste Schutzmaßnahme gegen radioaktive Strahlung ist ein möglichst großer *Abstand* zur Strahlungsquelle. Ein weiterer Schutz ist die *Abschirmung* der Strahlung, z. B. durch Blei oder Beton. Die *Zeitspanne*, während derer man radioaktiver Strahlung ausgesetzt ist, sollte möglichst gering sein. Beim Umgang mit radioaktiven Stoffen muss unbedingt darauf geachtet werden, dass andere Gegenstände nicht mit radioaktivem Material verunreinigt, d. h. kontaminiert werden, um eine Inkorporation radioaktiver Stoffe zu verhindern.
   Grundsätzlich sollte jegliche nicht notwendige Strahlenbelastung vermieden werden.

3.5 Kernreaktionen

Seite 87

1. Berechnen Sie die Energiebeträge, die beim Beschuss von Li-Kernen mit Deuteronen unter Vernachlässigung der kinetischen Energie der Geschosse frei werden. Erklären Sie die Unterschiede.

$^{6}_{3}Li + ^{2}_{1}H \rightarrow ^{7}_{4}Be + ^{1}_{0}n$, $^{6}_{3}Li + ^{2}_{1}H \rightarrow ^{4}_{2}He + ^{3}_{2}He + ^{1}_{0}n$

Lösung:
Mithilfe der Atommassen wird die jeweilige Massendifferenz bestimmt. Diese wird dann in MeV umgerechnet. Für die erste Reaktion ergibt sich 3,38 MeV und für die zweite 1,8 MeV.
Je mehr Nukleonen miteinander in Wechselwirkung treten, umso größer ist bei kleinen Kernen die mittlere Bindungsenergie pro Nukleon. Die Bindungsenergie des Be ist daher größer als die Summe der Bindungsenergien bei den beiden He-Nukliden.

2. Bei der endothermen Reaktion $^{7}_{3}Li + ^{1}_{1}p \rightarrow ^{7}_{4}Be^{*} + ^{1}_{0}n$ hat das Proton eine Energie von $E = 1{,}88$ MeV. Die Gesamtenergie der entstehenden Teilchen beträgt 0,23 MeV. Berechnen Sie die Atommasse des angeregten Be-Nuklids.
Lösung:
Unter Berücksichtigung der Ladungen ergibt sich:
$$E = \Delta m c^2 = (m_1 - m_2)\,c^2$$
$$= (m_{Be7^*} + m_n - (m_{Li7} + m_{H1}))\,c^2$$
$$= 0{,}23 \text{ MeV} - 1{,}88 \text{ MeV} = -1{,}65 \text{ MeV}.$$
Daraus folgt
$$m_{Be7^*} = \frac{-1{,}65 \text{ MeV}}{c^2} - m_n + m_{Li7} + m_p$$
$$= \frac{-1{,}65 \text{ MeV}}{(3{,}0\cdot 10^8 \text{ m/s})^2} - 1{,}008\,665 \text{ u}$$
$$+ 7{,}016\,003 \text{ u} + 1{,}007\,825 \text{ u} = 7{,}02 \text{ u}.$$

3. Führen Sie die für die Reaktion $^{7}_{3}Li + ^{1}_{1}p \rightarrow ^{4}_{2}He + ^{4}_{2}He$ im Text skizzierten Rechnungen explizit aus.
Lösung:
Die Energie des die Kernreaktion auslösenden Protons beträgt
$$E_p = 0{,}4 \text{ MeV} = \frac{1}{2} m_p v_p^2 = \frac{p_p^2}{2 m_p}.$$
Daraus ergibt sich der Protonenimpuls zu
$$p_p = \sqrt{2 m_p E_p}$$
$$= \sqrt{2\cdot 1{,}672\,62\cdot 10^{-27} \text{ kg}\cdot 0{,}4\cdot 10^6\cdot 1{,}6022\cdot 10^{-19} \text{ J}}$$
$$= 1{,}5\cdot 10^{-20} \text{ kg m/s}.$$
Die sich auf die Reaktionsprodukte verteilende Gesamtenergie ist
$$E_{ges} = E_{Reaktion} + E_p = 17{,}348 \text{ MeV} + 0{,}4 \text{ MeV}$$
$$= 17{,}75 \text{ MeV}.$$

Es gelten Impulserhaltung und Energieerhaltung: Die Summe der beiden (mit Vorzeichen versehenen) Impulse der entstehenden He-Atome (p_1 und p_2) ist gleich dem zuvor vorhandenen Impuls des die Reaktion auslösenden Protons p_p:
$$p_1 + p_2 = p_p$$
Die Summe der kinetischen Energien der beiden He-Atome ist gleich der zur Verfügung stehenden Gesamtenergie E_{ges}:
$$E_{kin,1} + E_{kin,2} = \frac{p_1^2}{2 m_{He}} + \frac{p_2^2}{2 m_{He}} = 17{,}75 \text{ MeV}$$
Gelöst wird dieses Gleichungssystem z. B. durch das Einsetzungsverfahren: $p_2 = p - p_1$ wird in die Gleichung für die Energieerhaltung eingesetzt:
$$\frac{p_1^2}{2 m_{He}} + \frac{(p - p_1)^2}{2 m_{He}} = 17{,}75 \text{ MeV bzw.}$$
$$p_1^2 + (1{,}5\cdot 10^{-20} \text{ kg m/s} - p_1)^2 = 2 m_{He}\cdot 17{,}75 \text{ MeV}$$
$$= 2\cdot 4{,}002\,603\cdot 1{,}660\,540\cdot 10^{-27} \text{ kg}$$
$$\cdot 17{,}75\cdot 10^6\cdot 1{,}6022\cdot 10^{-19} \text{ CV}$$
$$= 3{,}780\cdot 10^{-38} \text{ kg J}$$
$$2p_1^2 - 2\cdot 1{,}5\cdot 10^{-20} \text{ kg m/s}\cdot p_1 + (1{,}5\cdot 10^{-20} \text{ kg m/s})^2$$
$$= 3{,}780\cdot 10^{-38} \text{ kg J}$$
$$2p_1^2 - 3{,}0\cdot 10^{-20} \text{ kg m/s}\cdot p_1 + 3{,}8\cdot 10^{-38} \text{ (kg m/s)}^2 = 0$$
$$p_1 = \frac{3{,}0\cdot 10^{-20} \text{ kg m/s} + \sqrt{(3{,}0\cdot 10^{-20})^2 + 4\cdot 2\cdot 3{,}8\cdot 10^{-38}} \text{ kg m/s}}{4}$$
Daraus ergeben sich
$$p_1 = \frac{3{,}0\cdot 10^{-20} + 5{,}5\cdot 10^{-19}}{4} \text{ kg m/s} = 1{,}45\cdot 10^{-19} \text{ kg m/s}$$
und
$$p_2 = p - p_1 = -1{,}30\cdot 10^{-19} \text{ kg m/s}.$$
Mithilfe von $E_{kin,1} = \frac{p_1^2}{2 m_{He}}$ und $E_{kin,2} = \frac{p_2^2}{2 m_{He}}$ ergeben sich die im Text angegebenen Energien von 9,9 MeV bzw. 7,9 MeV.

4. Ein beim Zerfall eines ruhenden ^{225}Ra-Kerns ausgesandtes β-Teilchen besitzt die kinetische Energie 0,4 MeV.
a) Berechnen Sie den Impuls des β-Teilchens (relativistisch).
b) Berechnen Sie unter Zuhilfenahme der Impulserhaltung die Rückstoßenergie des ^{225}Ra-Kerns.
Lösung:
a) Nach der relativistischen Energie-Impuls-Beziehung gilt für den Impuls p_β des β-Teilchens
$$E^2 = p_\beta^2 c^2 + E_0^2 \text{ bzw. } p_\beta^2 c^2 = E^2 - E_0^2.$$
Auflösen nach p_β ergibt
$$p_\beta = \frac{\sqrt{E^2 - E_0^2}}{c} = \frac{\sqrt{(E_0 + E_{kin})^2 - E_0^2}}{c}$$
$$= \frac{\sqrt{(0{,}511 \text{ MeV} + 0{,}4 \text{ MeV})^2 - (0{,}511 \text{ MeV})^2}}{3{,}0\cdot 10^8 \text{ m/s}}$$
$$= 4{,}0\cdot 10^{-22} \text{ kg m/s}.$$

b) Der ^{225}Ra-Kern zerfällt gemäß der Zerfallsgleichung

$^{225}_{88}Ra \rightarrow ^{225}_{89}Ac^+ + ^{0}_{-1}e^-$.

Der Impuls des ruhenden ^{225}Ra-Kerns ist null. Impulserhaltung heißt

$\vec{p}_{Ac225} + \vec{p}_\beta = \vec{p}_{Ra225} = \vec{0}$.

Also gilt für die Impulsbeträge

$p_{Ac225} = p_\beta$ bzw. $m_{Ac225}\, v_{Ac225} = p_\beta$.

Die Geschwindigkeit des beim Zerfall entstehenden Tochterkerns ist demnach

$$v_{Ac225} = \frac{p_\beta}{m_{Ac225}} = \frac{4{,}0 \cdot 10^{-22}\ \text{kg m/s}}{225 \cdot 1{,}660\,540 \cdot 10^{-27}\ \text{kg}} = 1{,}1 \cdot 10^3\ \text{m/s}.$$

Die nichtrelativistische Formel für die kinetische Energie $E_{kin} = \frac{1}{2} m v^2$ kann angewendet werden. Es ergibt sich

$E_{kin,\,Ac225} = 1{,}4$ eV.

Diese Energie kann gegenüber der kinetischen Energie des β-Teilchens vernachlässigt werden.

Seite 89

1. Eine typische Kernspaltung ist durch die folgende Reaktionsgleichung gegeben:
$^{235}U + n \rightarrow ^{92}Kr + ^{142}Ba + 2\,n$
Berechnen Sie aus den Atommassen der beteiligten Nuklide die bei dieser Reaktion freigesetzte Energie in MeV. ($m_{Kr92} = 91{,}926\,11$ u; $m_{Ba142} = 141{,}916\,45$ u)
Lösung:
Die Massendifferenz muss in Energie umgerechnet werden. Es ergibt sich ein Wert von 180 MeV.

Seite 91

1. In einem Reaktor beträgt der Multiplikationsfaktor 1,001. Zwischen zwei Spaltungsgenerationen beträgt die Zeit 0,10 ms. Bestimmen Sie die Zeit, die es dauert, bis sich die Anzahl der spaltenden Kerne verdoppelt bzw. verhundertfacht hat.
Lösung:
$n(t) = n_0 \cdot 1{,}001^{\frac{t}{0{,}0001\,s}} = 2\,n_0$
Die Zeit für die Verdopplung beträgt 0,069 s, die für die Verhundertfachung 0,46 s.

2. Ein ^{235}U-Kern kann sich spontan spalten, d. h. von sich aus auseinanderbrechen; das ist eine Form des natürlichen radioaktiven Zerfalls. In einem Kernreaktor dagegen wird die Spaltung von ^{235}U „induziert", d. h. künstlich eingeleitet.
a) Beschreiben Sie, wodurch im Kernreaktor ^{235}U-Spaltreaktionen induziert werden und wie es zu einer Kettenreaktion kommt.
b) Eine induzierte Spaltung eines ^{235}U-Kerns kann z. B. als Spaltbruchstücke einen ^{89}Kr- und einen ^{144}Ba-Kern liefern. Berechnen Sie die bei dieser Spaltreaktion frei werdende Energie näherungsweise aus den Werten der mittleren Bindungsenergie pro Nukleon (für ^{235}U: 7,4 MeV, für ^{144}Ba: 8,1 MeV und für ^{89}Kr: 8,4 MeV).
c) Berechnen Sie, wie viele ^{235}U-Kerne in 1,0 kg ^{235}U enthalten sind.
d) Berechnen Sie unter Verwendung der bisherigen Ergebnisse, wie viel Energie bei der Explosion einer Atombombe freigesetzt wird, bei der 1,0 kg ^{235}U gespalten wird.
e) In einem Kernkraftwerk wird die Spaltung von ^{235}U zur Energiegewinnung herangezogen. Pro Spaltung werden im Mittel etwa 200 MeV frei, die zu 30 % in elektrische Nutzenergie umgewandelt werden können. Berechnen Sie aus diesen Daten, welche Masse an ^{235}U gespalten wird, wenn der Kernreaktor im Dauerbetrieb 11 Monate lang durchgehend arbeitet und die elektrische Leistung des Kraftwerks 1,4 GW betragen soll.
Lösung:
a) Die Kernspaltungen in einem Kernreaktor werden durch den Beschuss der ^{235}U-Kerne mit thermischen Neutronen ausgelöst. Da beim Auseinanderbrechen eines ^{235}U-Kerns ein Überschuss an frei werdenden Neutronen entsteht, ist eine Kettenreaktion möglich: Die freigesetzten Neutronen spalten dann ihrerseits ^{235}U-Kerne etc.
b) Gesamte Bindungsenergie:
für ^{235}U: $235 \cdot 7{,}4$ MeV = 1739 MeV
für ^{144}Ba: $144 \cdot 8{,}1$ MeV = 1166,4 MeV
für ^{89}Kr: $89 \cdot 8{,}4$ MeV = 747,6 MeV

$$E_{frei} = \Delta E_{Bindung} = (1166{,}4\ \text{MeV} + 747{,}6\ \text{MeV}) - 1739\ \text{MeV} = 0{,}18\ \text{GeV}$$

c) $$N = \frac{1{,}0\ \text{kg}}{235{,}043\,92 \cdot 1{,}660\,54 \cdot 10^{-27}\ \text{kg}} = 2{,}6 \cdot 10^{24}$$

d) Die insgesamt freigesetzte Energie beträgt

$$E_{ges} = N E_{frei} = 2{,}6 \cdot 10^{24} \cdot 0{,}18 \cdot 10^9 \cdot 1{,}6022 \cdot 10^{-19}\ \text{J} = 7{,}5 \cdot 10^{13}\ \text{J}.$$

Zum Vergleich: Bei der Explosion von 1 t TNT werden etwa 4 GJ = $4 \cdot 10^9$ J freigesetzt. Es müssten also ca. $7{,}5 \cdot 10^{13}$ J/($4 \cdot 10^9$ J/t) = $2{,}0 \cdot 10^4$ t TNT explodieren, um die Sprengkraft einer Atombombe zu erreichen.

e) Die Kernspaltungen liefern eine Leistung von

$$P_{ges} = \frac{P_{el}}{0{,}30} = 4{,}7\ \text{GW}.$$

In der Zeit $t = 11 \cdot 30 \cdot 24 \cdot 3600$ s $= 2{,}9 \cdot 10^7$ s ergibt sich eine Energie von $E_{ges} = P_{ges}\, t = 1{,}3 \cdot 10^{17}$ J.
Dem entspricht eine gespaltene ^{235}U-Masse von

$$m = N m_{U235} = \frac{E_{ges}}{E_{frei}} m_{U235} = \frac{1{,}3 \cdot 10^{17}\ \text{J}}{200 \cdot 10^6 \cdot 1{,}6022 \cdot 10^{-19}\ \text{J}} \cdot 235{,}043\,92\ \text{u} = 1{,}6\ \text{t}.$$

3. Neutronen können sowohl bei ^{238}U als auch bei ^{235}U Kernspaltungen auslösen. Dabei entstehen nach dem Neutroneneinfang zunächst die angeregten Zwischenkerne $^{239}U^*$ bzw. $^{236}U^*$ (m_{U239} = 239,054 30 u; m_{U236} = 236,045 64 u). Eine anschließende Spaltung findet statt, wenn die Anregungsenergie des Zwischenkerns groß genug ist. Bei $^{239}U^*$ sind dazu mindestens 6,3 MeV notwendig, bei $^{236}U^*$ mindestens 5,8 MeV.
Berechnen Sie aus dem Massenunterschied zwischen ursprünglichem Kern und Zwischenkern jeweils die Anregungsenergie des Zwischenkerns. Geben Sie an, welche kinetische Energie das Neutron mitbringen muss, damit die Spaltung ablaufen kann. Interpretieren Sie Ihre Ergebnisse in Bezug auf die Spaltbarkeit der betrachteten U-Isotope durch thermische Neutronen.
Lösung:
Neutroneneinfang bei ^{238}U:

$$^{238}_{92}U + ^{1}_{0}n \rightarrow ^{239}_{92}U^*$$

Daraus ergibt sich als Anregungsenergie des $^{239}U^*$-Kerns:

$$\begin{aligned} E_{Anreg} &= \Delta m\,c^2 = (m_1 - m_2)\,c^2 \\ &= (m_{U238} + m_n - m_{U239})\,c^2 \\ &= (238{,}050\,78\ u + 1{,}008\,665\ u - 239{,}054\,30\ u)\,c^2 \\ &= 5{,}145 \cdot 10^{-3}\ u\,c^2 = 5{,}145 \cdot 10^{-3} \cdot 931{,}49\ MeV \\ &= 4{,}7925\ MeV \end{aligned}$$

Neutroneneinfang bei ^{235}U:

$$^{235}_{92}U + ^{1}_{0}n \rightarrow ^{236}_{92}U^*$$

Daraus ergibt sich als Anregungsenergie des $^{235}U^*$-Kerns:

$$\begin{aligned} E_{Anreg} &= \Delta m\,c^2 = (m_1 - m_2)\,c^2 \\ &= (m_{U235} + m_n - m_{U236})\,c^2 \\ &= (235{,}043\,92\ u + 1{,}008\,665\ u - 236{,}045\,64\ u)\,c^2 \\ &= 6{,}945 \cdot 10^{-3}\ u\,c^2 = 6{,}945 \cdot 10^{-3} \cdot 931{,}49\ MeV \\ &= 6{,}4692\ MeV \end{aligned}$$

Die kinetische Energie, die das Neutron mitbringen muss, damit die Spaltung ablaufen kann, beträgt
bei ^{238}U: 6,3 MeV − 4,7925 MeV = 1,5 MeV
bei ^{235}U: 5,8 MeV − 6,4692 MeV = −0,67 MeV
Daraus folgt: Nur bei ^{235}U ist eine Spaltung durch thermische Neutronen möglich (kinetische Energie von thermischen Neutronen < 0,1 eV).

Seite 93

1. Stellen Sie die Funktionsweise eines Kernspaltungsreaktors dar und gehen Sie dabei speziell auf die Bedingungen für eine stabile Kettenreaktion ein.
Lösung:
Bei einem Kernreaktor wird die frei werdende Bindungsenergie hauptsächlich dazu genutzt, um elektrische Energie bereitzustellen. Die Kernspaltung wird durch Neutronen verursacht, die bei der Spaltung selbst entstehen. Die Wahrscheinlichkeit für eine Spaltung ist für thermische Neutronen besonders groß, sodass die Neutronen durch den sogenannten Moderator abgebremst werden müssen. Da dies zum größten Teil über elastische Stöße mit den Atomkernen des Moderators geschieht, wird häufig Wasser benutzt, da Wasserstoffkerne (Protonen) fast die gleiche Masse besitzen wie Neutronen. Damit der Reaktor stabil läuft, darf jeweils nur eins der zwei bis drei Neutronen, die bei einer Spaltung entstehen, eine erneute Kernreaktion auslösen. Sind es mehr, so steigt mit der Anzahl der Spaltungen die Leistung des Reaktors exponentiell an. Um den Reaktor zu steuern, werden Steuerstäbe benutzt, die Cadmium enthalten. Cadmium ist ein „Neutronenfänger".
Als Spaltmaterialien können die Nuklide ^{235}U, ^{233}U sowie ^{239}Pu verwendet werden, wobei letztere künstlich in einem Reaktor erzeugt werden können (Brutprozess). Da aber auch einige Neutronen den Reaktor verlassen oder über andere Prozesse für die Spaltung nicht mehr zur Verfügung stehen, muss angereichertes Uran benutzt werden, das 3,5 % des Nuklids ^{235}U enthält.
Die frei werdende Energie erhöht die Temperatur des Wassers, das also neben der Moderatorfunktion auch als Kühlmittel verwendet wird. Über einen Wärmetauscher wird in einem zweiten Kreislauf Wasserdampf erzeugt, der eine Turbine und einen Generator antreibt.

Seite 98

1. Berechnen Sie die frei werdende Energie für die im Text genannten Fusionsreaktionen mithilfe der Atommassen.
Lösung:
$^{2}_{1}H + ^{2}_{1}H \rightarrow ^{3}_{1}H + ^{1}_{1}p + 4{,}04\ MeV$
$^{2}_{1}H + ^{2}_{1}H \rightarrow ^{3}_{2}He + ^{1}_{0}n + 3{,}27\ MeV$
$^{2}_{1}H + ^{3}_{1}H \rightarrow ^{4}_{2}He + ^{1}_{0}n + 17{,}58\ MeV$
$^{2}_{1}H + ^{3}_{2}He \rightarrow ^{4}_{2}He + ^{1}_{1}p + 18{,}34\ MeV$
$^{3}_{1}H + ^{3}_{1}H \rightarrow ^{4}_{2}He + 2\,^{1}_{0}n + 11{,}32\ MeV$
$^{1}_{0}n + ^{6}_{3}Li \rightarrow ^{4}_{2}He + ^{3}_{1}H + 4{,}79\ MeV$
Aus den Massendifferenzen werden die Energien bestimmt. Dabei muss auf die Elektronenbilanz geachtet werden:
$\Delta m = 2\,m(^{2}H) - (m(^{3}H) + m(^{1}H))$
$\Delta m = 2\,m(^{2}H) - (m(^{3}H) + m(^{1}n))$
usw.

2. Bestimmen Sie die Größe des Potentialwalls, den ein Proton überwinden muss, um in den Einflussbereich der Kernkräfte eines anderen Protons zu kommen. Schätzen Sie damit die Fusionstemperatur des Plasmas mithilfe der im Text genannten Formel $E_{kin} = \frac{3}{2} kT$ ab.
Lösung:
$$E_{pot} = \frac{1}{4\pi\varepsilon_0} \frac{Z_1 Z_2 e^2}{(r_1 + r_2)}$$
Geht man davon aus, dass sich die Protonen auf 2,5 fm nähern müssen, damit die Kernkräfte wirksam werden, so ergibt sich eine Energie von 0,576 MeV.
Dies entspricht einer Temperatur von $4{,}5 \cdot 10^9$ K.

Seite 99

3. In der Sonne wird durch Fusion von Wasserstoff Helium erzeugt. Ein He-Kern entsteht aus vier Protonen und zwei Elektronen über mehrere Zwischenstufen, die hier außer Acht gelassen werden.
a) Berechnen Sie die Energieausbeute bei der Fusion von Protonen zu 1 kg Helium. [zur Kontrolle: $6 \cdot 10^{14}$ J]
b) Die Masse der Sonne beträgt $2 \cdot 10^{30}$ kg, ihr Alter rund 5 Milliarden Jahre. Sie strahlt jährlich eine Energie von $1{,}2 \cdot 10^{34}$ J ab. Schätzen Sie ab, wie viel Prozent der Sonnenmasse seit der Entstehung der Sonne in Helium verwandelt wurde.
Lösung:
a) Die Reaktionsgleichungen lauten
$$4\,{}^1_1p^+ + 2\,{}^{\;0}_{-1}e^- \rightarrow {}^4_2He^{2+},\quad 4\,{}^1_1p^+ + 4\,{}^{\;0}_{-1}e^- \rightarrow {}^4_2He \text{ bzw.}$$
$$4\,{}^1_1H \rightarrow {}^4_2He.$$
Die Energieabgabe bei einer Fusion beträgt
$$E_{frei} = \Delta m c^2 = (m_1 - m_2) c^2 = (4 m_{H1} - m_{He4}) c^2$$
$$= (4 \cdot 1{,}007\,825 \text{ u} - 4{,}002603 \text{ u}) c^2 = 0{,}028\,697 \text{ u} c^2$$
$$= 0{,}028\,697 \cdot 931{,}49 \text{ MeV} = 26{,}731 \text{ MeV}.$$
Es entsteht 1 kg Helium. Die Anzahl der Fusionen beträgt $N = 1 \text{ kg}/m_{He4}$.
Für die Energieausbeute bei der Fusion zu 1 kg Helium ergibt sich also
$$N E_{frei} = \frac{1 \text{ kg}}{4{,}002\,603 \cdot 1{,}660\,54 \cdot 10^{-27} \text{ kg}} \cdot 26{,}731 \text{ MeV}$$
$$= 4{,}0 \cdot 10^{27} \text{ MeV} = 6 \cdot 10^{14} \text{ J}.$$
b) Während der Lebensdauer der Sonne wurden bislang $5 \cdot 10^9 \cdot 1{,}2 \cdot 10^{34}$ J $= 6 \cdot 10^{43}$ J abgestrahlt.
Durch Fusion entstanden dabei $6 \cdot 10^{43}$ J$/6 \cdot 10^{14}$ J $\triangleq$ 10^{29} kg Helium. Etwa 10^{29} kg$/m_{Sonne} = 5\,\%$ der Sonnenmasse wurden also umgewandelt.

4. Auf dem Lebensweg von Sternen können durch die Gravitation und die Kernfusion Bedingungen entstehen, bei denen aus Wasserstoff nicht nur das Element Helium, sondern im Anschluss daran als Folgeprodukte auch schwerere Nuklide wie ^{12}C erzeugt werden. Mit ^{12}C wiederum ist bei geeigneten Druck- und Temperaturbedingungen die Fusion von ^{20}Ne durch folgende Reaktion möglich:
$^{12}C + {}^{12}C \rightarrow {}^{20}Ne + {}^4He$.
a) Zeigen Sie, dass die angegebene Fusionsreaktion exotherm erfolgt. [zur Kontrolle: $E = 4{,}62$ MeV]
b) Zwei ^{12}C-Kerne bewegen sich mit einer kinetischen Energie von jeweils 4,1 MeV zentral aufeinander zu. Zeigen Sie, dass sich die Kerne – aus klassischer Sicht – berühren können und somit die oben angegebene Reaktion stattfinden kann. Verwenden Sie als Radius der ^{12}C-Kerne den Wert $3{,}2 \cdot 10^{-15}$ m.
Lösung:
a) ${}^{12}_{6}C + {}^{12}_{6}C \rightarrow {}^{20}_{10}Ne + {}^4_2He$
$$E_{frei} = \Delta m c^2 = (m_1 - m_2) c^2$$
$$= (2 m_{C12} - (m_{Ne20} + m_{He4})) c^2$$
$$= (2 \cdot 12 \text{ u} - (19{,}992\,436 \text{ u} - 4{,}002603 \text{ u}) c^2$$
$$= 4{,}961 \cdot 10^{-3} \text{ u} c^2 = 4{,}961 \cdot 10^{-3} \cdot 931{,}49 \text{ MeV}$$
$$= 4{,}6211 \text{ MeV}.$$
b) Dem Abstand $2 r_{C12} = 6{,}4 \cdot 10^{-15}$ m als Abstand zwischen den Mittelpunkten der beiden ^{12}C-Kerne entspricht eine potentielle elektrische Energie von
$$E_{pot} = \frac{6e \cdot 6e}{4\pi\varepsilon_0 \cdot 2 r_{C12}} = \frac{6 \cdot 1{,}6022 \cdot 10^{-19} \text{ C} \cdot 6e}{4\pi \cdot 8{,}8542 \cdot 10^{-12} \text{ C/Vm} \cdot 6{,}4 \cdot 10^{-15} \text{ m}}$$
$$= 8{,}1 \text{ MeV} < E_{kin,ges} = 2 E_{kin} = 2 \cdot 4{,}1 \text{ MeV} = 8{,}2 \text{ MeV}$$
Die Fusion kann also auch ohne Berücksichtigung des Tunneleffekts stattfinden.

5. Eine mögliche Energiequelle der Zukunft ist die Kernfusion.
a) Für ^4He beträgt die mittlere Bindungsenergie pro Nukleon 7,1 MeV, für Deuterium ^2H 1,1 MeV. Weisen Sie unter Verwendung dieser Angabe nach, dass bei der Verschmelzung zweier Deuterium-Kerne zu einem ^4He-Kern eine Energie von 24 MeV freigesetzt wird.
b) In einem geplanten Fusionsexperiment soll diese Reaktion gezündet werden, indem die Strahlung eines Lasers der Leistung $2{,}0 \cdot 10^{14}$ W für die Dauer von $8{,}0 \cdot 10^{-9}$ s auf ein Deuterium-Kügelchen konzentriert wird. Es wird erwartet, dass die frei werdende Fusionsenergie hundertmal so groß ist wie die zur Zündung eingesetzte Laserenergie. Berechnen Sie, wie viele Fusionsprozesse demzufolge ausgelöst werden.
Lösung:
a) ${}^2_1H + {}^2_1H \rightarrow {}^4_2He$
Linke Seite der Gleichung: 4 Kernbausteine mit jeweils 1,1 MeV Bindungsenergie
Rechte Seite der Gleichung: 4 Kernbausteine mit jeweils 7,1 MeV Bindungsenergie

Pro Kernbaustein wird bei der Verschmelzung von 2 ^{2}H zu ^{4}He 7,1 MeV – 1,1 MeV = 6 MeV freigesetzt, insgesamt also 4 · 6 MeV = 24 MeV.

b) Da hundertmal so viel Energie frei gesetzt werden soll wie vom Laser geliefert wird, ergibt sich als Fusionsenergie

$$E_{\text{Fusion,ges}} = 100\,P\,\Delta t = 100 \cdot 2{,}0 \cdot 10^{14}\ \text{W} \cdot 8{,}0 \cdot 10^{-9}\ \text{s} = 1{,}6 \cdot 10^{8}\ \text{J}.$$

Die Anzahl der Fusionen beträgt demnach

$$N = \frac{E_{\text{Fusion,ges}}}{24\ \text{MeV}} = \frac{1{,}6 \cdot 10^{8}\ \text{J}}{24 \cdot 10^{6} \cdot 1{,}6022 \cdot 10^{-19}\ \text{J}} = 4{,}2 \cdot 10^{19}.$$

6. Im Fusionsprojekt ITER soll Energie durch Fusion von Deuterium- (^{2}H) und Tritiumkernen (^{3}H) gewonnen werden. Der Fusionsprozess sei vom Typ $^2\text{H} + {}^3\text{H} \rightarrow {}^4\text{He} + {}^1\text{n}$.

a) Berechnen Sie die Energie in eV, die bei einem Fusionsprozess frei wird.

b) Das für den Fusionsprozess benötigte Tritium wird laufend mithilfe der bei diesem Prozess frei werdenden Neutronen aus Lithium durch folgende Reaktion erbrütet: $^6\text{Li} + \ldots \rightarrow {}^3\text{H} + \ldots + 4{,}8\ \text{MeV}$. Vervollständigen Sie diese Reaktionsgleichung.

c) Der fertige Reaktor soll aus beiden Prozessen im Dauerbetrieb eine thermische Leistung von 2500 MW erbringen. Berechnen Sie, welche Masse an Helium pro Tag als Abfallprodukt abfällt.

Lösung:

a) ${}^2_1\text{H} + {}^3_1\text{H} \rightarrow {}^4_2\text{He} + {}^1_0\text{n}$

$$\begin{aligned} E_{\text{frei}} &= \Delta m\,c^2 = (m_1 - m_2)\,c^2 \\ &= (m_{\text{H2}} + m_{\text{H3}} - (m_{\text{He4}} + m_{\text{n}}))\,c^2 \\ &= (2{,}014\,102\ \text{u} + 3{,}016\,049\ \text{u})\,c^2 \\ &\quad - (4{,}002\,603\ \text{u} + 1{,}008\,665\ \text{u})\,c^2 \\ &= 1{,}8883 \cdot 10^{-2}\ \text{u}\,c^2 = 1{,}8883 \cdot 10^{-2} \cdot 931{,}49\ \text{MeV} \\ &= 17{,}589\ \text{MeV}. \end{aligned}$$

b) ${}^6_3\text{Li} + {}^1_0\text{n} \rightarrow {}^3_1\text{H} + {}^4_2\text{He} + 4{,}8\ \text{MeV}$

c) Es wird davon ausgegangen, dass nach jeder Fusion, bei der ein Neutron freigesetzt wird, eine Brutreaktion stattfindet, bei der dieses Neutron mit einem ^{6}Li-Atom wechselwirkt.

Bei der Kombination beider Prozesse wird folgende Gesamtenergie pro Tag freigesetzt:

17,589 MeV + 4,8 MeV = 22 MeV

Daraus ergibt sich die Anzahl der „Kombinationsprozesse" zu

$$N = \frac{P\,\Delta t}{22\ \text{MeV}} = \frac{2500\ \text{MW} \cdot 8{,}64 \cdot 10^{4}\ \text{s}}{22 \cdot 10^{6} \cdot 1{,}6022 \cdot 10^{-19}\ \text{J}} = 6{,}1 \cdot 10^{25}.$$

Dabei entstehen jeweils (insgesamt) 2 ^{4}He-Atome. Daraus ergibt sich als täglich anfallende Masse an ^{4}He:

$$\begin{aligned} M &= N \cdot 2\,m_{\text{He4}} \\ &= 6{,}1 \cdot 10^{25} \cdot 2 \cdot 4{,}002\,603 \cdot 1{,}66\,054 \cdot 10^{-27}\ \text{kg} \\ &= 0{,}81\ \text{kg} \end{aligned}$$

Wissenstest Kernphysik

Seite 106

1. a) Beschreiben Sie den Aufbau und die physikalischen Eigenschaften von Atomkernen.

b) Erläutern Sie anhand des kleinen Ausschnittes der Nuklidkarte die verschiedenen Zerfallsarten und den Begriff der Zerfallsreihe.

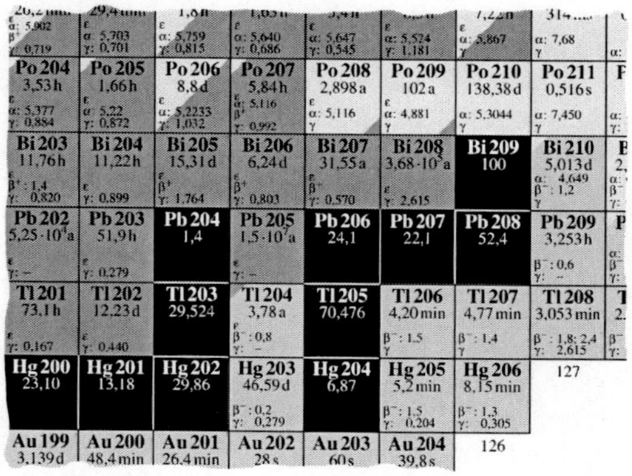

c) Bestimmen Sie die Aktivität von 10 µg ^{210}Po. Berechnen Sie die Aktivität der Probe nach Ablauf eines Jahres.

d) Das Nuklid ^{211}Po besitzt eine Halbwertszeit von 0,516 s, das ^{212}Po (211,988 85 u) eine von 0,3 µs. Bestimmen Sie die zugehörigen Energien der α-Teilchen und begründen Sie damit die großen Unterschiede in den Halbwertszeiten.

Lösung:

a) Atomkerne bestehen aus Protonen und Neutronen. Diese den Kern bildenden Teilchen werden auch Nukleonen genannt. Ihre Gesamtzahl macht die Massenzahl aus; die Anzahl der Protonen ist mit der Kernladungszahl Z identisch, welche die positive Ladung des Kerns in Einheiten der Elementarladung e angibt. Nuklide sind Atome mit einer durch die Anzahl der Protonen und Neutronen festgelegten Kernart. Durch die Angabe der Kernladungszahl (Ordnungszahl) und der Massenzahl am Elementsymbol werden die Nuklide gekennzeichnet. Da die Massendichte des Kerns nahezu konstant ist, lässt sich der Radius r eines Kerns aus der Massenzahl A gemäß $r = r_0 A^{1/3}$ mit $r_0 = 1{,}4 \cdot 10^{-15}$ m bestimmen. Die Bindungsenergie bezogen auf ein Nukleon beträgt etwa 8 MeV. Der Kern besitzt somit eine geringere Masse als die Summe der Massen seiner Bestandteile (Massendefekt). Da die Bindungsenergien somit ca. eine Millionen mal größer sind als die, die bei chemischen Reaktionen vorkommen, sind die Energien bei Kernreaktionen auch um diesen Faktor größer und von technischem Interesse.

Es gibt instabile Nuklide, die sich durch die Emission eines α-Teilchens oder eines β-Teilchens (Elektron bzw. Positron) in ein anderes Nuklid umwandeln. Energetisch angeregte Nuklide gehen durch die Emission eines γ-Quants in einen energetisch tieferen Zustand.
b) In der Nuklidkarte sind die bekannten Nuklide aufgeführt. Die Farbe gibt die Zerfallsart an. So zum Beispiel sind die gelb markierten Nuklide α-aktiv. Sie emittieren einen Heliumkern und wandeln sich so in ein Nuklid um, dass zwei Positionen weiter links und zwei Positionen tiefer liegt. ^{210}Po wandelt sich so in ^{206}Pb um, das durch die schwarze Markierung als stabil gekennzeichnet ist. Rot und blau unterlegte Nuklide sind β-aktiv: Sie emittieren Positronen bzw. Elektronen. Das Tochternuklid befindet sich dann eine Einheit rechts und eine Einheit unter bzw. eine Einheit links und eine Einheit über der Ausgangsposition. Ist das Tochternuklid ebenfalls radioaktiv, so wandelt es sich seinerseits um. Dies geschieht solange, bis ein stabiles Nuklid (schwarz) erreicht wird. Die Zerfallsreihe endet dort.
c) Die 10 µg Polonium entsprechen 47,6 nmol und damit einer Teilchenzahl von $N_0 = 2{,}87 \cdot 10^{16}$. Die Halbwertszeit beträgt $t_H = 11{,}96 \cdot 10^6$ s. Mit der Zerfallskonstante lässt sich dann die ursprüngliche Aktivität berechnen: $A_0 = \lambda N_0 = 1{,}66 \cdot 10^9$ Bq. Nach einem Jahr ergibt sich mit dem Zerfallsgesetz $A_1 = 267$ MBq.
d) Hier muss die Massendifferenz der Summe der Endnuklide und des Ausgangsnuklid betrachtet werden. Es ergeben sich die Energien der zwei Zerfälle zu 7,6 MeV (^{211}Po) bzw. 8,9 MeV (^{212}Po). Der α-Zerfall kann mit dem Tunneleffekt erklärt werden. Je größer die Energie des α-Teilchens ist, desto geringer ist die Breite und die Höhe des Potentialwalls, durch den es tunneln muss. Mit der Energie steigt somit die Wahrscheinlichkeit für den Tunnelprozess und somit ergibt sich eine kleinere Halbwertszeit.

2. Mithilfe der Kernphysik kann elektrische Energie bereitgestellt werden.
a) Erläutern Sie, dass dies sowohl über die Kernspaltung als auch über die Kernfusion geschehen kann.
b) Erklären Sie den Aufbau und die Funktionsweise eines Kernspaltungs- und eines Kernfusionsreaktors. Erörtern Sie jeweils die Vor- und Nachteile.
c) Schätzen Sie die Energie ab, die bei einem Kernkraftwerk der elektrischen Leistung von 1400 MW innerhalb eines Jahres durch Kernspaltung freigesetzt wird, wenn der Wirkungsgrad etwa 30 % beträgt. Bestimmen Sie Näherungsweise die Anzahl der Spaltungen sowie die Masse des benötigten ^{235}U unter der Annahme, dass bei jeder Spaltung ca. 200 MeV Bindungsenergie frei werden.

Lösung:
a) Die mittlere Bindungsenergie bezogen auf ein Nukleon besitzt ein Maximum für Kerne mit Massenzahlen zwischen 60 und 70, d. h. die Gesamtenergie dieser Kerne besitzt ein Minimum. Daraus folgt, dass Kerne mit kleineren Massenzahlen bis zu diesen fusioniert werden können. Hierbei wird Bindungsenergie frei. Andererseits können Kerne mit Massenzahlen, die wesentlich größer sind, gespalten werden. Die Bruchteile besitzen eine geringere Energie, und so wird auch bei der Spaltung Energie frei.
b) In einem Kernspaltungsreaktor wird spaltbares Material (z. B. ^{235}U) innerhalb eines von der Außenwelt abgeschlossenen Containers durch Neutronen gespalten. Bei jeder Spaltung werden zwei bis drei Neutronen frei, die weitere Spaltungsprozesse induzieren können. Da der Wirkungsgrad für thermische Neutronen am größten ist, müssen diese abgebremst werden. Dazu befindet sich ein Moderator zwischen dem spaltbaren Material. Durch Stöße mit den Atomkernen des Moderatormaterials (meist Wasser) geben die Neutronen ihre Energie ab.
Die durch die Spaltung frei werdende Energie muss abgeführt werden. Wird Wasser als Moderator verwendet, so transportiert es die Energie zu einem Wärmetauscher und Verdampfer. Mittels Turbine und Generator wird elektrische Energie erzeugt. Um eine konstante Leistung des Reaktors zu erhalten, darf jede Spaltung auch nur eine weitere Spaltung verursachen. Dazu werden Regelstäbe aus einem Material benötigt, das Neutronen absorbiert. Wegen der zu geringen Neutronenausbeute ist natürliches Uran mit einem Anteil von nur 0,7 % des spaltbaren Nuklids ^{235}U ungeeignet. Es muss bis auf 3,5 % angereichert werden.
Bei einem Fusionsreaktor werden Kerne mit geringeren Massenzahlen zu größeren Kernen fusioniert. Damit eine Fusion realisiert werden kann, müssen sich zwei Kerne soweit annähern, dass die Kernkräfte wirksam werden. Damit dies geschehen kann, werden Temperaturen im Bereich von 10^8 K benötigt. Bei diesen Temperaturen liegt ein Plasma vor, das aus Ionen und Elektronen besteht. Bei solchen Temperaturen dürfen die Teilchen des Plasmas nicht mit anderen Materialien in Verbindung kommen. Das Plasma wird mit Hilfe von Magnetfeldern eingeschlossen. Um eine Fusion zu zünden, muss zudem die Einschlusszeit und die Teilchendichte genügend groß sein. Die meisten Experimente werden mit einem Tokamak durchgeführt, bei dem die Energie mittels eines Transformators dem Plasma zugeführt wird. Das Plasma stellt dabei die Sekundärspule dar.
Kernspaltungsreaktoren sind in einer Vielzahl technisch realisiert und liefern nutzbare elektrische Energie, ohne das Treibhausgas CO_2 zu produzieren. Allerdings können Störfälle zu erheblichen Unfällen

mit einer Freisetzung einer großen Menge radioaktiven Materials führen, wie das Beispiel Tschernobyl gezeigt hat. Der Reaktor kann bei solchen Unfällen unkontrollierbar werden, sodass die frei werdende Energie die Container zerstört und die Umwelt belastet wird. Weiterhin entstehen durch die großen Neutronenflüsse große Mengen radioaktiver Materialien, für die es bis heute (2012) noch keine sicheren Endlagerstätten gibt. Die Lagerungszeiträume sind mit ca. 100 000 a sehr groß. Uran ist auch nur begrenzt verfügbar.

Fusionsreaktoren befinden sich noch in der Forschungsphase, da noch erhebliche technische Probleme vorhanden sind. Allerdings besitzen diese den Vorteil, dass der „Brennstoff" Wasserstoff überall und nahezu unbegrenzt zu Verfügung steht. Weiterhin wird bei Störfällen die Fusionsreaktion sehr schnell zum Erliegen kommen, sodass von Störfällen nur ein geringes Gefahrenpotential ausgeht. Die radioaktiven Abfälle, die bei der Fusion entstehen, sind mengenmäßig geringer und zerfallen schneller.

c) Unter Berücksichtigung des Wirkungsgrades kann die thermische Energie eines Jahres berechnet werden: $E_{th} = 1{,}47 \cdot 10^{17}$ J. Dies entspricht einer Masse von 1,64 kg. Die Anzahl der Spaltungen beträgt ca. $4{,}59 \cdot 10^{27}$, so dass 7,6 kmol ^{235}U benötigt werden. Das sind 1790 kg. Da es nur zu 0,7 % in Natururan vorkommt, werden ca. 255 t von diesem benötigt.

3. In der Tumorbehandlung ist es wichtig, Krebszellen zu zerstören und gesundes Gewebe zu schonen. Analysieren Sie unter diesem Gesichtspunkt die folgende Graphik und erläutern Sie ihre physikalischen Grundlagen in Bezug auf die Wechselwirkung von Strahlung mit Materie.

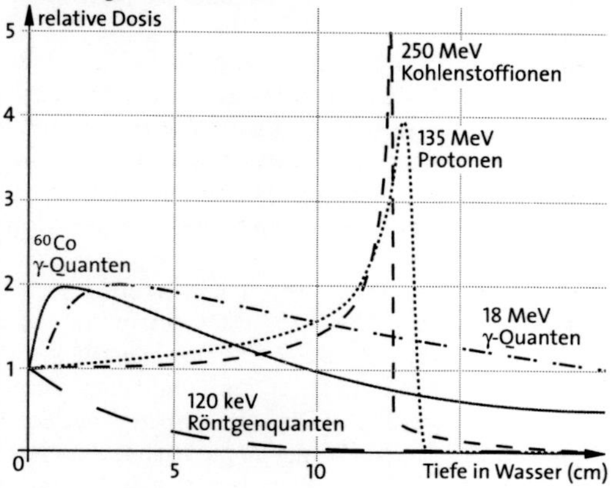

Lösung:

In der Graphik ist die relative Dosis in Abhängigkeit von der Eindringtiefe für unterschiedliche ionisierende Strahlungsarten in Wasser dargestellt. Zu erkennen ist, dass die Dosis bei der Röntgenstrahlung zu Beginn groß ist und dann abfällt. Dies bedeutet, dass sie für Tumore, die tiefer als 10 cm im Gewebe liegen, äußerst ungeeignet ist, da das umliegende Gewebe eine größere Dosis erhalten wird als das Tumorgewebe. Sie könnte höchstens für Tumore benutzt werden, die nah an oder in der Haut liegen, wobei jeweils immer auch gesundes Gewebe durch die Bestrahlung in Mitleidenschaft gezogen wird.

Die Kobaltstrahlung bzw. die 18 MeV-Photonen zeigen ein leichtes Maximum bei 1 cm bzw. 3 cm. Allerdings variiert die Dosis über einen sehr großen Bereich kaum. Dies bedeutet, dass immer auch gesundes Gewebe durch die Bestrahlung geschädigt wird.

Die Protonen und Kohlenstoffionen zeigen deutliche Maxima. Mit ihnen kann also gezielt Tumorgewebe in einer bestimmten Tiefe bestrahlt werden, wobei das darüberliegende Gewebe durch eine wesentlich kleinere Dosis ($\frac{1}{4}$ bzw. $\frac{1}{5}$ der Tumordosis) belastet wird.

Diese unterschiedlichen Dosiskurven sind auf die unterschiedlichen Eigenschaften und Wechselwirkung der Strahlungsarten mit Materie zurückzuführen. Für die γ-Quanten gibt es im Wesentlichen drei Prozesse der Wechselwirkung: Fotoeffekt, Compton-Effekt und Paarerzeugung. Diese Prozesse sind energieabhängig. Bei der Röntgenstrahlung kann nur der Fotoeffekt und der Compton-Effekt eine Rolle spielen, da die Energie für die Paarerzeugung zu gering ist. Es handelt sich insgesamt dabei um eine „Alles-oder-Nichts-Wechselwirkung", so dass auf dem Weg immer mehr Photonen durch Wechselwirkungen den Strahl verlassen und so der exponentielle Abfall zu Stande kommt. Bei den beiden anderen Quellen ist aufgrund der Energie auch Paarerzeugung möglich, so dass die sekundär entstandenen Elektronen und Positronen auch zur Dosis beitragen können. Für die Kobaltstrahlung (1,17 MeV, 1,33 MeV) und die 18 MeV Photonen sind damit die Maxima zu erklären.

Die Protonen und Ionen besitzen ausgeprägte Maxima, da sie den größten Teil der Energie am Ende der Wegstrecke bei kleinen Energien und niedrigen Geschwindigkeiten abgeben. Die wesentliche Wechselwirkung ist die Coulomb-Wechselwirkung mit den Hüllelektronen der Atome. Bei kleinen Geschwindigkeiten ist die Wechselwirkungszeit größer und damit die Ionisationsdichte größer.

4. Im Bestreben, neue Substanzen zu erzeugen, bestrahlten Wissenschaftler gegen Ende der 1930er-Jahre Uran mit Neutronen. Otto HAHN und Fritz STRASSMANN verwendeten als Neutronenquelle ein sieben Zentimeter langes und knapp einen Zentimeter dickes Röhrchen, welches mit 1,0 g Radium und zusätzlich mit Beryllium gefüllt war. Die Abbildung zeigt den Arbeitstisch, an dem die beiden Wissenschaftler ihre Experimente durchführten.

Die Radiumprobe enthielt hauptsächlich das Isotop ^{226}Ra, deshalb soll im Folgenden davon ausgegangen werden, dass sie ausschließlich aus ^{226}Ra bestand. Außerdem ist davon auszugehen, dass beim Zerfall von ^{226}Ra immer ein angeregter Kern entsteht; die beim Zerfall auf den Tochterkern übertragene Rückstoßenergie soll vernachlässigt werden.

a) Stellen Sie die Zerfallsgleichung für ^{226}Ra auf.

b) Berechnen Sie die Aktivität von 1,0 g ^{226}Ra. [Zur Kontrolle: $3{,}7 \cdot 10^{10}$ Bq]

c) Die vom ^{226}Ra abgegebene α-Strahlung reagiert mit den Beryllium-Atomen (^{9}Be) unter Aussendung von jeweils einem Neutron. Ermitteln Sie, welches Isotop bei dieser Kernreaktion entsteht. Berechnen Sie die bei einer solchen Kernreaktion frei werdende Reaktionsenergie sowie die kinetische Energie des dabei ausgesandten Neutrons. Nehmen Sie an, dass dieses die gesamte zur Verfügung stehende Energie aufnimmt und das Beryllium-Atom zuvor ruht.

d) Erläutern Sie, warum die Energie der Neutronen vermindert werden muss, bevor sie wirkungsvoll zur Spaltung von Atomkernen verwendet werden können.

e) HAHN und STRASSMANN ummantelten ihre Neutronenquelle mit einem zylinderförmigen Paraffinblock. Beschreiben Sie, wie das wasserstoffhaltige Paraffin auf die Neutronen wirkt. Nennen Sie eine Substanz, die sie anstelle des Paraffins hätten verwenden können.

f) An die Außenseite des Paraffinblocks wurde ein Papiertütchen mit 15 g Uran gestellt, welches eine halbe Stunde lang dem Bombardement durch die Neutronen ausgesetzt war. Um die dabei entstandenen radioaktiven Substanzen zu identifizieren, wurde die Probe nach der Bestrahlung mithilfe eines Geiger-Zählers auf ihre Aktivität und ihre Zerfallskurve hin untersucht.
Erläutern Sie, warum es sinnvoll war, dass HAHN und STRASSMANN zur kerntechnischen Analyse der bereits bestrahlten Uranprobe in einen fünfzehn Meter vom Bestrahlungszimmer entfernten Raum gingen.

Lösung:

a) $^{226}_{88}\text{Ra} \rightarrow {}^{222}_{86}\text{Rn}^* + {}^{4}_{2}\text{He}$

b) Aus $A = \lambda N$, $\lambda = \ln 2 / t_H$ und $N = m / m_{Ra226}$ ergibt sich eine Aktivität von

$$A = \frac{\ln 2 \cdot m}{t_H\, m_{Ra226}} = \frac{\ln 2 \cdot 1{,}0\ \text{g}}{1{,}6 \cdot 10^3\ \text{a} \cdot 226{,}025\,40\ \text{u}} = 3{,}7 \cdot 10^{10}\ \text{Bq}$$

c) ${}^{4}_{2}\text{He}^{++} + {}^{9}_{4}\text{Be} \rightarrow {}^{12}_{6}\text{C}^{++} + {}^{1}_{0}\text{n}$

Es entsteht also Kohlenstoff C12.

$$\begin{aligned} E_{frei} &= \Delta m\, c^2 = (m_{He4} + m_{Be9} - m_{C12} - m_n)\, c^2 \\ &= (4{,}002603\ \text{u} + 9{,}012\,182\ \text{u} - 12\ \text{u} - 1{,}008\,665\ \text{u})\, c^2 \\ &= 5{,}7\ \text{MeV}. \end{aligned}$$

Zur Verfügung steht folgende Energie:
① Reaktionsenergie $E_{frei} = 5{,}7$ MeV
② kinetische Energie des stoßenden α-Teilchens

$E_{kin,\alpha} = E_{kin\,\alpha,\,max} - E_\gamma = 4{,}8\ \text{MeV} - 0{,}26\ \text{MeV} = 4{,}5\ \text{MeV}$

$E_{kin,n} = E_{frei} + E_{kin\,\alpha} = 5{,}7\ \text{MeV} + 4{,}5\ \text{MeV} = 10\ \text{MeV}$

(Daten aus der Nuklidkarte S. 135 im Schülerband)

d) Zur Spaltung von Uran-Kernen benötigt man *thermische* Neutronen. Deren Energie entspricht in etwa der kinetischen Energie aufgrund der Wärmebewegung der Neutronen. Solche langsamen Neutronen verweilen länger in Kernnähe. Somit ist die Wechselwirkungswahrscheinlichkeit größer und damit auch die Wahrscheinlichkeit für Kernspaltungen.

e) Paraffin ist wasserstoffhaltig. Stoßen Neutronen gegen die etwa gleich schweren Wasserstoffatome, so verlieren sie einen großen Teil ihrer kinetischen Energie. Deshalb werden die Neutronen in Paraffin abgebremst. Statt Paraffin hätte man auch Wasser nehmen können. (Alternativen: Graphit, Beryllium, Natrium)

f) Neben Neutronen strahlt die Neutronenquelle, die von HAHN und STRASSMANN verwendet wurde, auch γ-Quanten ab, welche beim α-Zerfall des Radiums entstehen und nur zum Teil vom Paraffin absorbiert werden. (Die Neutronen werden im „normalen“ Geiger-Zähler nicht nachgewiesen. Die α-Strahlung bleibt im Reagenzglas bzw. im Paraffin stecken.)
Daneben könnte auch noch Störstrahlung von herumliegenden Uran-Tütchen oder anderen zum Experimentieren verwendeten radioaktiven Substanzen kommen. Dieser Störstrahlung entgeht man nur durch Abschirmung und Abstand. Deshalb war es sinnvoll, den Laborraum zu wechseln.

Seite 107

5. Beim Beschuss von ^{235}U-Atomen mit thermischen Neutronen kommt es zu Kernspaltungen, wie Lise MEITNER nach den Experimenten ihrer Kollegen HAHN und STRASSMANN (Aufgabe 4) vermutete. Dabei zerbricht ein U235-Kern in das von HAHN und STRASSMANN identifizierte Element Barium ^{144}Ba (Atommasse: 143,922 88 u), sowie in das ebenfalls mittelschwere Element Krypton ^{89}Kr (Atommasse: 88,917 64 u).
a) Stellen Sie die Reaktionsgleichung für diese Kernspaltung auf und berechnen Sie, wie viel Energie in Joule bei der halbstündigen Bestrahlung der Uranprobe aus Aufgabe 4 freigesetzt wurde. Nehmen Sie dafür an, dass jedes α-Teilchen der Ra-Probe ($A = 3{,}7 \cdot 10^{10}$ Bq) ein Neutron erzeugt und 6,0 % dieser Neutronen in der Uranprobe eine Kernspaltung auslösen.
b) Lise MEITNER entwickelte folgende Vorstellung in Bezug auf das Auseinanderbrechen des Uran-Kerns: Die Atomkerne von ^{144}Ba und ^{89}Kr werden nach ihrer Trennung im Uran aufgrund ihrer elektrischen Abstoßung auseinandergetrieben. Gehen Sie davon aus, dass sich die beiden Kerne gerade noch berühren und berechnen Sie, welche Energie dann aufgrund der elektrischen Abstoßung freigesetzt wird, wenn sich die Kerne unendlich weit voneinander entfernen. Verwenden Sie als Formel zur Berechnung der Kernradien: $r = r_0 \sqrt[3]{A}$ mit der Massenzahl A und $r_0 = 1{,}4 \cdot 10^{-15}$ m.
c) Erklären Sie die näherungsweise Übereinstimmung dieses Ergebnisses mit der Reaktionsenergie aus Teilaufgabe a). Gehen Sie dazu näher auf die Prozesse und Energieumwandlungen beim Auseinanderbrechen des ^{235}U-Kerns ein.
Lösung:
a) $^{235}_{92}U \rightarrow {}^{144}_{56}Ba + {}^{89}_{36}Kr + 2\,{}^{1}_{0}n$

$$E_{frei} = (m_{U235} - m_{Ba144} - m_{Kr89} - 2\,m_n)\,c^2$$
$$= (235{,}043\,92 + 143{,}922\,88 - 88{,}917\,64 - 2 \cdot 1{,}008\,665)\,u\,c^2$$
$$= 173{,}32 \text{ MeV}$$

Als Anzahl der in einer halben Stunde erfolgenden Kernspaltungen ergibt sich

$$N = 30 \cdot 60\text{ s} \cdot 3{,}7 \cdot 10^{10}\text{ Bq} \cdot 6{,}0\,\%,$$

und damit für die in einer halben Stunde freigesetzte Energie

$$E = 30 \cdot 60\text{ s} \cdot 3{,}7 \cdot 10^{10}\text{ Bq} \cdot 6{,}0\,\% \cdot 173{,}32\text{ MeV} = 110\text{ J}.$$

b) Aus $r_{Ba} = r_0 \sqrt[3]{144}$ und $r_{Kr} = r_0 \sqrt[3]{89}$ ergibt sich ein Abstand von

$$d = r_0\left(\sqrt[3]{144} + \sqrt[3]{89}\right) = 14 \cdot 10^{-15}\text{ m}.$$

Mit dem Coulomb-Potential ergibt sich eine Energie von

$$E = \frac{1}{4\pi\varepsilon_0}\frac{Q_{Ba}Q_{Kr}}{d} = \frac{1}{4\pi\varepsilon_0}\frac{56 \cdot 36\,e^2}{14 \cdot 10^{-15}\text{ m}} = 2{,}1 \cdot 10^8\text{ eV}$$
$$= 210\text{ MeV}.$$

c) Zunächst werden die beiden Bruchstücke gegen die Kernkraft voneinander gelöst. Die dazu nötige Energie äußert sich im System als Massendefekt. Die damit verbundene Reaktionsenergie E_{frei} liegt dann als potentielle Energie des elektrisch abstoßenden Feldes zwischen den beiden Bruchstücken vor und wird anschließend in kinetische Energie umgewandelt.

6. Die Uran-Actinium-Zerfallsreihe beginnt bei ^{235}U und endet bei ^{207}Pb.
a) Bestimmen Sie die Anzahl der α-Zerfälle und die Anzahl der β-Zerfälle.
b) ^{235}U wird auch in Kernspaltungsreaktoren verwendet. Bestimmen Sie die Energie, die bei einer Spaltung gemäß der folgenden Reaktion frei wird: $^{235}U + n \rightarrow {}^{140}Xe + {}^{94}Sr + 2\,n$. Die Spaltprodukte zerfallen über mehrere Schritte relativ schnell in ^{140}Ce (139,905 439 u) bzw. ^{94}Zr (93,906 315 u). Berechnen Sie die freigesetzte Gesamtenergie.
c) Die Sprengkraft einer Bombe wird in Kilotonnen TNT angegeben. Bei der Explosion von 1 kg TNT werden ca. 4 MJ frei. Die Hiroshima-Bombe hatte eine Sprengkraft von 14 Kilotonnen TNT. Bestimmen Sie die Ruhemasse, die in Energie umgesetzt wurde, und die Anzahl der Spaltungen, wenn bei jeder Spaltung ca. 200 MeV frei werden.
d) Bei 6,2 % der Spaltungen entsteht ^{137}Cs. Bestimmen Sie die Bodenaktivität von ^{137}Cs in Bq/m² unter der Annahme, dass sich der Fallout auf eine Kreisfläche mit 15 km Radius verteilt und die Halbwertszeit 30 a beträgt.
e) ^{137}Cs ist ein β-Strahler mit der Halbwertszeit 30 a. Berechnen Sie, welcher Prozentsatz der Anfangsaktivität aus Teilaufgabe d) heute noch vorhanden wäre unter der Voraussetzung, dass die kontaminierten Bodenschichten nicht abgetragen wurden bzw. ^{137}Cs-Atome nicht in tiefere Bodenschichten abgewandert sind.
Lösung:
a) Die Massenzahl verringert sich um 28. Also müssen 7 Alpha-Zerfälle in der Zerfallsreihe vorkommen, denn nur bei diesen ändert sich die Massenzahl. Die Kernladungszahl ändert sich um 10. 7 Alpha-Zerfälle würden die Massenzahl aber um 14 verringern, sodass 4 Betazerfälle in der Zerfallsreihe vorkommen müssen.

b) ^{140}Xe und ^{94}Sr zerfallen, wobei sich die Massenzahl aber nicht ändert, d. h. es handelt sich um Betazerfälle. Also kann die Energie aus der entsprechenden Massendifferenz berechnet werden:

$m_{\mathrm{U}\,235} - m_{\mathrm{Ce}\,140} - m_{\mathrm{Zr}\,94} - m_{\mathrm{n}}$

Die Energie ergibt sich zu 208,5 MeV.

c) Die Gesamtenergie beträgt $56 \cdot 10^{12}$ J. Die Energie entspricht einer Masse von etwa 0,6 g. Die Anzahl der Spaltungen beträgt etwa $1{,}75 \cdot 10^{24}$.

d) Die Anzahl der Cs-Nuklide berechnet sich zu $1{,}09 \cdot 10^{23}$. Damit ergibt sich über $A = \lambda N$ eine Gesamtaktivität von $7{,}99 \cdot 10^{13}$ Bq. Diese verteilt sich auf die Kreisfläche, sodass die Bodenaktivität etwa 113 kBq je m² beträgt.

e) Die Hiroshima-Bombe wurde 1945 gezündet, also vor 65 Jahren (Stand 2010). Der heute noch vorhandene Prozentsatz für die ^{137}Cs-Aktivität beträgt

$$A/A_0 = e^{-\lambda t} = e^{-\frac{\ln 2}{t_H} t} = e^{-\ln 2 \cdot \frac{65\,\mathrm{a}}{30\,\mathrm{a}}} = 22\,\%.$$

7. In der Sonne und in anderen Sternen wird durch Fusionsprozesse Bindungsenergie frei. Der sogenannte Proton-Proton-Zyklus kann in folgender Reaktionsgleichung zusammengefasst werden:
$4\,^1\mathrm{H} \rightarrow {}^4\mathrm{He} + 2\,\mathrm{e}^+ + 2\,\nu_e + \gamma$
a) Berechnen Sie die Energie, die bei einem solchen Zyklus frei wird.
b) Die Strahlungsleistung der Sonne gibt an, wie viel Energie pro Sekunde insgesamt abgestrahlt wird; an der Erde kommen etwa 1,4 kW/m² an. Berechnen Sie die Anzahl der in einer Sekunde stattfindenden Reaktionen sowie die Masse, die die Sonne seit ihrer Entstehung umgesetzt hat.

Lösung:
a) Es muss die Massendifferenz bestimmt werden:
$4\,m_{\mathrm{H}} - m_{\mathrm{He4}} - 4\,m_{\mathrm{e}}$
Aus dieser wird die Energie zu 24,7 MeV bestimmt. Da die Positronen auf Materie treffen, werden noch zusätzlich zwei Mal 1,02 MeV frei.
b) Die Erde befindet sich in einer Entfernung von ca. $1{,}5 \cdot 10^{11}$ m von der Sonne. Damit strahlt sie in jeder Sekunde die Energie von $4 \cdot 10^{26}$ J ab (Produkt aus der Strahlungsleistung an der Erdoberfläche und der Kugeloberfläche mit Radius Entfernung Erde–Sonne). Das sind ca. $9 \cdot 10^{37}$ Fusionen in der Sekunde. Der Verlust an Masse beträgt ca. $4{,}5 \cdot 10^9$ kg in der Sekunde. Das macht in 4 Milliarden Jahren einen Masseverlust von $5{,}6 \cdot 10^{26}$ kg.

8. Die letale Ganzkörperdosis beträgt für einen Menschen 4 Sv. Das bedeutet, dass bei einer solchen Bestrahlung 50 % der Menschen innerhalb von 30 Tagen sterben.
a) Schätzen Sie die Temperaturerhöhung des menschlichen Körpers durch eine solche Bestrahlung ab.
b) Erläutern Sie die Wirkung, die ionisierende Strahlung auf Zellen hat.
c) Ein Körper hat eine konstante Gammaaktivität von 2 GBq. Bei jedem Zerfall wird eine Energie von 1,5 MeV frei. Berechnen Sie die tägliche Energiedosis, wenn die Strahlung vollständig in 10 kg Materie absorbiert wird.
d) Als Spätfolge radioaktiver Bestrahlung kann es Jahre später zu einer Krebserkrankung kommen. Das Risiko für eine solche Erkrankung ist durch die Untersuchung der Überlebenden von Hiroshima und Nagasaki für große Dosiswerte bekannt. Für kleine Dosen, wie sie z. B. bei diagnostischen Untersuchungsverfahren eingesetzt werden, können nur Modelle entwickelt werden, die eine Beziehung zwischen der Dosis und der Wahrscheinlichkeit, an Krebs zu erkranken, herstellen. Interpretieren Sie die unten dargestellten Dosis-Wirkungsmodelle.

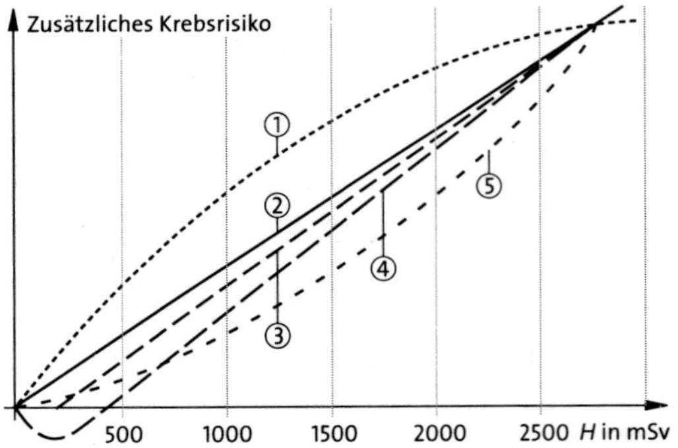

Lösung:
a) Bei einer Äquivalentdosis von 4 Sv wird jedem kg des Körpers maximal eine Energie von 4 J zugeführt. Unter der Annahme, dass der menschliche Körper zum größten Teil aus Wasser besteht, kann mit Hilfe der spezifischen Wärmekapazität von Wasser (4,18 kJ/(kg K)) die Temperaturerhöhung zu 1 mK abgeschätzt werden. Diese Temperaturerhöhung ist so gering, dass sie in Bezug auf die Zellschäden vernachlässigt werden kann. Die Eigenschaft der Strahlung zu ionisieren macht die schädigende Wirkung aus.
b) Die Strahlung führt in den Zellen des Gewebes zu Anregungen und Ionisationen von Atomen und Molekülen. Dabei entstehen freie Radikale, die für eine Vielzahl von chemischen und biologischen Folgereaktionen verantwortlich sind. Es können toxische Substanzen in den Zellen entstehen. Weiterhin kann es direkt oder über weitere Reaktionen zu

Brüchen der DNA kommen, sodass das Erbgut der Zelle verändert werden kann. Diese Schäden können einerseits zum Zelltod und andererseits zu bösartigen Entartungen der Zellen (Krebs) führen. Die Krebserkrankung kann zu einem viel späteren Zeitpunkt ausbrechen.
Sind die Keimdrüsen betroffen, so besteht eine Wahrscheinlichkeit, dass die Nachkommen Erbschäden aufweisen (genetische Schäden).
c) $D = E/m = 48\ \mu Gy$
d) In der Graphik dargestellt ist das zusätzliche Krebsrisiko in Abhängigkeit von der Äquivalentdosis. Die rote Kurve ② ist ein einfaches lineares Modell: Ohne Strahlenbelastung existiert kein zusätzliches Risiko. Das Risiko steigt linear an, sodass auch kleine Dosen ein zusätzliches Risiko schaffen.
Die orangene Kurve ③ ist auch eine lineare Extrapolation, wobei jedoch von einem Minimalwert ausgegangen wird, ab dem die Strahlung überhaupt ein zusätzliches Risiko schafft. Dies bedeutet, dass kleine Dosen ohne Wirkung bleiben.
Die violette Kurve ① steigt bei kleinen Dosen sehr stark an, d.h. in den kleinen Dosisbereichen steigt das Risiko stärker als linear an. Wenn dieses Modell zutreffend ist, sind auch kleine Dosen wie in der medizinischen Diagnostik gefährlich.
Die blaue Kurve ⑤ ist anfangs flach und steigt dann steil an. Kleine Dosen schaffen ein zusätzliches Risiko, das aber geringer ist als bei der linearen Extrapolation.
Die grüne Kurve ④ befindet sich bei kleinen Dosen sogar unterhalb der Abszisse. Dies bedeutet ein negatives zusätzliches Krebsrisiko, also weniger Krebsfälle als ohne Bestrahlung. Kleine Dosen sind nach diesem Modell sogar gesund. Dies wird Hormesis oder Adaptive Response genannt: Geringe Dosen können einen positiven Effekt auf den Organismus haben.

9. **a)** Erläutern Sie anhand eines von Ihnen selbst gewählten Beispiels den Aufbau und die Wirkungsweise eines Nachweisgerätes für radioaktive Strahlung.
b) Erläutern Sie anhand eines von Ihnen selbst gewählten Beispiels, wie radioaktive Strahlung in der Medizin nutzbringend eingesetzt werden kann.
c) Ein radioaktiver Strahler sendet gleichzeitig α-, β- und γ-Strahlung aus. Beschreiben Sie anhand einer Skizze eine Möglichkeit zur Trennung dieser Strahlenarten.
d) Vergleichen Sie die drei Strahlenarten hinsichtlich ihres Ionisierungsvermögens und ihrer Reichweite in Luft.

Lösung:
a) Siehe Exkurs „Strahlungsdetektoren" auf S. 80/81.
b) → 3.4.6 (S. 84/85)
c) ① *Trennung der Strahlenarten durch Absorption*

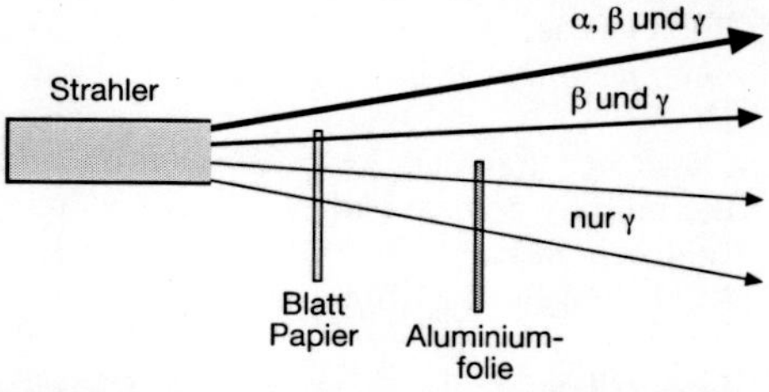

Ein Blatt Papier absorbiert die α-Strahlung und lässt β- und γ-Strahlung passieren. Eine dünne Aluminiumschicht absorbiert auch die β-Strahlung und lässt nur die γ-Strahlung durch.
Die verschiedenen Strahlenarten werden nach ihrem unterschiedlichen Durchdringungsvermögen getrennt.
② *Trennung der Strahlenarten durch ein Magnetfeld*

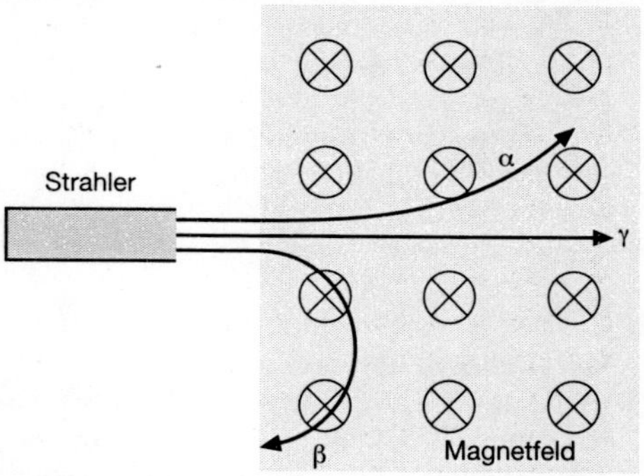

Positive (α), negative (β) bzw. ungeladene Teilchen (γ) werden in unterschiedliche Richtungen (α, β) bzw. gar nicht (γ) abgelenkt. Dadurch erfolgt die Trennung der unterschiedlichen Strahlenarten.
d) *α-Strahlung:* stark ionisierend; Reichweite in Luft nur wenige Zentimeter
β-Strahlung: ionisiert wird nur jedes tausendste Gasteilchen; Reichweite in Luft mehrere Meter
γ-Strahlung: „Alles oder nichts"-Wechselwirkung durch Fotoeffekt, Compton-Effekt oder Paarbildung; deutlich geringere Wechselwirkungswahrscheinlichkeit als bei α- und β-Strahlung, demzufolge sehr große Reichweite

Wissenstest Aufbau der Materie

Seite 116

1. Erklären Sie, warum ein Proton aus einem grünen und zwei roten Quarks nicht existieren kann.
Lösung:
Ein Proton trägt als Ganzes keine Farbladung. Daher müssen sich die Farbladungen der drei Quarks aufheben. Es kann also nur aus drei Quarks mit den Farbladungen Rot, Grün und Blau aufgebaut sein.

2. Beschreiben Sie den Beta-Zerfall des Neutrons zuerst auf der Ebene der Nukleonen und dann im Bild des Quark-Modells.
Lösung:
Nukleonenbild: Das Neutron zerfällt in ein Proton, ein Elektron und ein Elektron-Antineutrino:
$n \rightarrow p + e^- + \bar{\nu}_e$
Standardmodell: Das Neutron besteht aus einem up- und zwei down-Quarks. Bei der schwachen Wechselwirkung ändert eines der down-Quarks seinen Typ, es wird zu einem up-Quark. Dies geschieht unter Abgabe eines W^--Bosons als Wechselwirkungsteilchen. Anschließend zerfällt das W^- in ein Elektron und ein Elektron-Antineutrino:
$d \rightarrow u + W^-$
$W^- \rightarrow e^- + \bar{\nu}_e$

3. Die starke Wechselwirkung hat zwar nur eine kurze Reichweite, ist aber in diesem Bereich dem Betrag nach konstant. Begründen Sie, wieso dies dazu führen kann, dass Quark-Antiquark-Paare erzeugt werden anstatt dass Quarks voneinander getrennt werden (Stichwort: potentielle Energie).
Lösung:
Im Gegensatz zu mit dem Abstand abnehmenden Kräften (z. B. Gravitation oder elektromagnetische Wechselwirkung) wird die Trennung der Quarks mit größerem Abstand nicht einfacher; stattdessen steigt die potentielle Energie der Quarks. Sie ist dem Abstand der Quarks direkt proportional. Übersteigt sie einen Wert, der dem Doppelten der Ruhemasse eines Quarks entspricht, so entsteht ein Quark-Antiquark-Paar. Entsprechend können auch andere Teilchen-Antiteilchen-Paare entstehen. Eine Trennung in freie Quarks ist aufgrund der Zunahme der potentiellen Energie nicht möglich.

4. Teilchen und Antiteilchen zerstrahlen durch Paarvernichtung zu Energie. Begründen Sie, wieso es dennoch die Mesonen, aufgebaut aus Quarks und Antiquarks, geben kann.
Lösung:
Mesonen sind meist nicht aus einem Quark und dem dazugehörigen Antiquark aufgebaut, sondern in der Regel z. B. aus einem up-Quark und einem down-Antiquark. Es existieren lediglich einige sehr hoch angeregte Zustände aus einem Quark-Antiquark-Paar, die dann aufgrund der hohen Energie in Gluonen zerfallen. (→ **Abb. 112.2**)

5. Beschreiben Sie das Konzept eines Streuexperimentes und erklären Sie qualitativ, wie aus der räumlichen Verteilung der gestreuten Teilchen auf die Struktur des streuenden Körpers geschlossen werden kann.
Lösung:
Ein Streuexperiment besteht darin, dass Teilchen mit hoher kinetischer Energie auf ein ruhendes Ziel (Target) treffen. In diesem System sind Impuls und Energie vor dem Stoß bekannt. Eine möglichst genaue Messung von Impuls und Energie aller nach dem Stoß auftretenden Teilchen einschließlich ihrer räumlichen Verteilung liefert durch die Anwendung der Sätze der Energie- und Impulserhaltung die gesuchte Information. Bei Hochenergiephysik-Experimenten werden zusätzlich weitere Erhaltungssätze angewendet, z. B. Teilchenzahlerhaltung und Ladungserhaltung, sowie Erkenntnisse über die Struktur der Wechselwirkung, soweit sie bereits bekannt ist und nicht erst über das Experiment gefunden werden soll.
Ein einfaches mechanisches Analogon wäre der Beschuss eines Maschendrahtzaunes mit Bällen verschiedener Größe. Eine Messung der Winkel, unter denen die Bälle nach dem Kontakt mit dem Zaun hindurch fliegen oder zurückgeworfen werden, erlaubt Aussagen über die Maschengröße und die Beschaffenheit des Drahtes.

Seite 125

Der lichtelektrische Effekt

1888 bestrahlte W. HALLWACHS eine elektrisch geladene, auf einem Elektroskop sitzende Metallplatte mit UV-Licht.

a) Beschreiben Sie die experimentellen Beobachtungen, aus denen HALLWACHS folgern konnte, dass bei Lichteinstrahlung nur negative Ladungsträger aus der Metallplatte austreten und dass der Fotoeffekt erst ab einer bestimmten Frequenz des eingestrahlten Lichts auftritt.

Nach dem Einschalten der Beleuchtung zeigt ein an eine Vakuumfotozelle angeschlossenes (extrem hochohmiges) Spannungsmessgerät die im Diagramm dargestellte zeitabhängige Spannung.

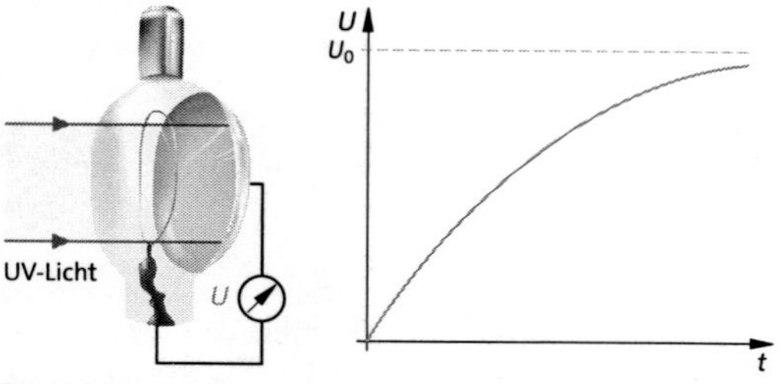

b) Erklären Sie, wie der dargestellte Spannungsverlauf zustandekommt.

c) Beschreiben Sie, wie sich U_0 und die Form der t-U-Kurve verändern, wenn im Versuch bei gleich bleibender Wellenlänge die Intensität der Bestrahlung erhöht wird. Geben Sie für ihre Antwort eine kurze Begründung.

Lösung:

a) Eine Platte aus einem Metall (z. B. Zink) wird elektrisch geladen und anschließend mit dem Licht einer Quecksilberdampflampe bestrahlt. Wird die Metallplatte positiv geladen, so kommt es nicht zu einer Entladung, der Fotoeffekt tritt nicht auf. Wird die Metallplatte dagegen negativ geladen, so entlädt sich die Metallplatte bei der Bestrahlung. Daraus folgt: Nur negative Ladungsträger, d. h. Elektronen, werden durch das eingestrahlte Licht aus dem Metall ausgelöst.

Wird eine Glasplatte zwischen Quecksilberdampflampe und Metallplatte gebracht, so findet keine Entladung der Metallplatte statt. Die Glasplatte absorbiert den UV-Anteil des Lichts; also liegt der Schluss nahe, dass der UV-Anteil für die Auslösung von Elektronen aus dem Metall ursächlich ist. UV-Strahlung hat eine größere Frequenz als das sichtbare Licht; anscheinend tritt der Fotoeffekt also erst ab einer bestimmten Frequenz des Lichts auf.

b) Durch das UV-Licht werden Elektronen aus der Katode der Fotozelle ausgelöst. Die Elektronen nehmen jeweils die gesamte Photonenenergie auf. Nach Abzug der Austrittsenergie verbleibt ihnen noch eine gewisse (kinetische) Restenergie. Deshalb sind sie in der Lage, zur ringförmigen Anode zu gelangen. Durch diese Ladungstrennung baut sich eine Spannung U zwischen Anode und Katode und damit ein Gegenfeld für die ausgelösten Elektronen auf. Nähert sich U einem Wert U_0, sodass $E_{\text{pot, elektrisch}} = U_0 e = E_{\text{kin, max}}$ wird, wobei $E_{\text{kin max}}$ die (maximale) kinetische Energie der Elektronen ist, so werden die Elektronen auf ihrem Weg zur Anode so stark abgebremst, dass sie die Anode nicht mehr erreichen. Der Ladevorgang kommt zum Erliegen, das Spannungsmessgerät zeigt den Wert U_0 an.

c) Wird die Intensität der Bestrahlung erhöht, so vergrößert sich die Zahl der Photonen; ihre Energie $E_{\text{Ph}} = hf$, die nur von der Frequenz abhängt, verändert sich nicht.

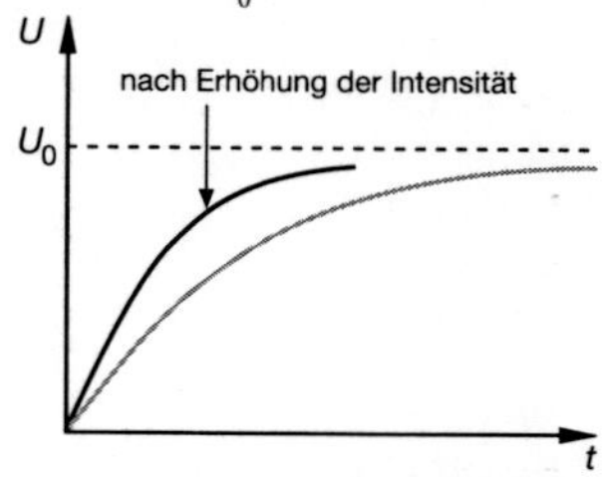

Folglich bleibt die maximale kinetische Energie der Elektronen gleich und damit auch U_0. Es werden allerdings in derselben Zeit mehr Elektronen ausgelöst, sodass der Ladevorgang schneller abläuft.

Deutung des lichtelektrischen Effekts

Eine Fotozelle wird mit Licht unterschiedlicher Frequenzen f aus dem Spektrum einer Quecksilberdampflampe bestrahlt.

Zwischen den Elektroden der Fotozelle wird die Spannung U gemessen. Das Ergebnis ist in dem abgebildeten f-U-Diagramm dargestellt. Eine Veränderung des Abstandes d zwischen Lichtquelle und Fotozelle ergibt keine Veränderung der gemessenen Spannung. Der Zeiger des Messgerätes reagiert bei größeren Abständen ($d \geq 1{,}0$ m) ohne Verzögerung auf das Einsetzen der Bestrahlung.

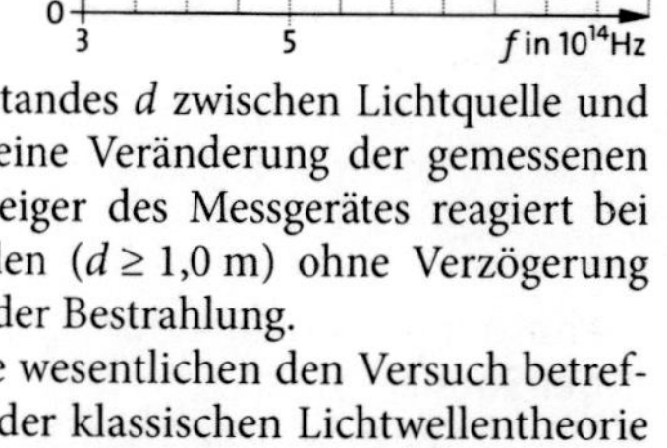

a) Nennen Sie die wesentlichen den Versuch betreffenden Aussagen der klassischen Lichtwellentheorie und erläutern Sie, inwiefern sich aus den Ergebnissen des Versuchs Widersprüche dazu ergeben.

b) Nennen Sie die wesentlichen Aspekte der Einstein'schen Lichtquantenhypothese und erläutern Sie, inwiefern diese durch das Experiment gestützt wird.

c) Berechnen Sie mithilfe des Diagramms das Planck'sche Wirkungsquantum und ermitteln Sie unter Zuhilfenahme eines geeigneten Tafelwerkes das Material der Fotokatode.

Lösung:
a) Nach der klassischen Lichtwellentheorie verteilt sich die Strahlungsenergie gleichmäßig im Raum. Die transportierte Energie ist bei einer klassischen Welle abhängig von ihrer Amplitude, also insbesondere vom Abstand zum Erreger, und nicht von der Frequenz der Welle. Die Energie der Fotoelektronen hängt demgegenüber nicht vom Abstand zur Lampe ab, sondern allein von der Frequenz des Lichtes. Dem Diagramm ist zu entnehmen, dass unterhalb einer Grenzfrequenz der Fotoeffekt überhaupt nicht eintritt, auch nicht bei großer Intensität. Auch dies stellt einen Widerspruch zur klassischen Lichtwellentheorie dar. Außerdem zeigt eine Modellrechnung nach → 1.1, dass es bei einer gleichmäßigen Verteilung der Strahlungsenergie auf die freien Elektronen der Zinkplatte eine merkliche Zeit dauern müsste, bis der Fotoeffekt einsetzt. Das verzögerungslose Einsetzen des Fotoeffekts steht dazu im Widerspruch.
b) Licht ist ein Strom von Energiequanten (Photonen), deren Energie proportional zur Frequenz des Lichts ist: $E_{Photon} = hf$. Beim Fotoeffekt wird diese Energie an ein Elektron übertragen. Ist hf kleiner als die Austrittsenergie E_A, so kann kein Fotoeffekt eintreten, auch nicht bei großer Intensität. Ist $hf > E_A$, so erhält das Fotoelektron den Unterschied der Energien als kinetische Energie. Es ergibt sich $E_{kin} = hf - E_A$, wie es auch dem Diagramm zu entnehmen ist ($E_{kin} \sim U$).
c) Aus dem ersten und letzten Messpunkt lässt sich ablesen:

$$h = \frac{\Delta E}{\Delta f} = e\frac{\Delta U}{\Delta f} = \frac{1{,}6 \cdot 10^{-19}\,\text{As} \cdot 0{,}93\,\text{V}}{2{,}3 \cdot 10^{14}\,\text{Hz}} = 6{,}5 \cdot 10^{-34}\,\text{Js}$$

Das stimmt in guter Näherung mit dem Tabellenwert für das Planck'sche Wirkungsquantum $h = 6{,}626 \cdot 10^{-34}$ Js überein.
Als Grenzfrequenz ist dem Diagramm $f_G \approx 4{,}7 \cdot 10^{14}$ Hz zu entnehmen. Das entspricht einer Grenzwellenlänge von $\lambda_G \approx 6{,}4 \cdot 10^{-7}$ m bzw. einer Austrittsarbeit von etwa 1,9 eV. Die Katode besteht somit vermutlich aus Caesium (Austrittsarbeit 1,94 eV, Grenzwellenlänge 639 nm).

Photonenablenkung durch das Schwerefeld der Sonne

Die Ablenkung des Lichtes im Schwerefeld der Sonne soll mit dem Photonenmodell erklärt werden. Zur Vereinfachung werde davon ausgegangen, dass im blau unterlegten Bereich die konstante Schwerebeschleunigung $g_{Sonne} = 2{,}0 \cdot 10^2\,\text{m/s}^2$ in y-Richtung herrscht und die Newton'sche Mechanik anwendbar ist. Außerhalb des markierten Bereichs soll die Schwerebeschleunigung vernachlässigt werden. Der Durchmesser der Sonne beträgt $14 \cdot 10^8$ m.

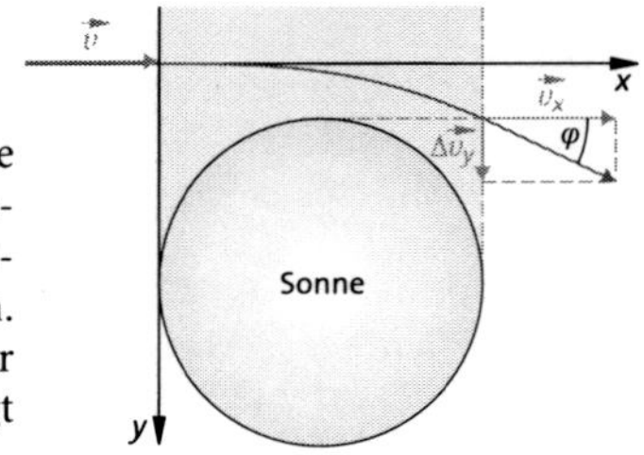

a) Betrachten Sie Licht der Wellenlänge $\lambda = 580$ nm. Berechnen Sie die Gravitationskraft auf ein Photon, wenn den Photonen gemäß der Formel $E = mc^2 = hf$ eine Masse zugeordnet wird.
b) Zeigen Sie, dass sich ein zunächst in x-Richtung fliegendes Photon etwa $\Delta t = 4{,}7$ s in dem blau dargestellten Gravitationsfeld befindet. Vernachlässigen Sie dabei die Änderung der x-Komponente der Photonengeschwindigkeit.
c) Berechnen Sie die in der Beschleunigungszeit Δt erfolgende Geschwindigkeitszunahme Δv_y und berechnen Sie daraus die Größe des Ablenkwinkels φ in Winkelsekunden.
d) Erörtern Sie, ob die Größe des Ablenkwinkels von der Frequenz des Lichts abhängt.

Lösung:
a) Aus der Formel für die Energie $E = mc^2 = hf$ folgt für die Masse, die einem Photon zugeordnet werden kann:

$$m = \frac{hf}{c^2} = \frac{hc}{\lambda c^2} = \frac{h}{\lambda c}$$

Mit der gegebenen Schwerebeschleunigung folgt für die Gravitationskraft:

$$F_{grav} = mg = \frac{hg}{\lambda c} = \frac{6{,}6261 \cdot 10^{-34}\,\text{Js} \cdot 2{,}0 \cdot 10^2\,\text{m/s}^2}{580 \cdot 10^{-9}\,\text{m} \cdot 3{,}0 \cdot 10^8\,\text{m/s}}$$

$$= 7{,}6 \cdot 10^{-34}\,\text{N}$$

b) Mit $x(t) = v_0 t = ct$ und demzufolge $t = x(t)/c$ folgt bei einer Ablenkung der Photonen zwischen $x = 0$ und $x(t) = 2r$:

$$t = \frac{2r}{c} = \frac{14 \cdot 10^8\,\text{m}}{3{,}0 \cdot 10^8\,\text{m/s}} = 4{,}7\,\text{s}$$

c) $v_y = \Delta v_y = g\Delta t = 2{,}0 \cdot 10^2\,\text{m/s} \cdot 4{,}7\,\text{s} = 0{,}94\,\text{km/s}$

$$\tan\varphi = \frac{v_y}{v_x} = \frac{0{,}94 \cdot 10^3\,\text{m/s}}{3{,}0 \cdot 10^8\,\text{m/s}} = 3{,}1 \cdot 10^{-6}$$

Damit ergibt sich ein Ablenkwinkel von $\varphi = 1{,}8 \cdot 10^{-4\,\circ} = 0{,}64''$.

d) Da $\tan\varphi = \frac{\Delta v_y}{v_x} = \frac{gt}{c} = \frac{g \cdot 2r/c}{c} = \frac{2gr}{c^2}$ ist, hängt der Ablenkwinkel φ nicht von der Frequenz f des Lichtes ab.

Raumsonde mit Sonnensegel

Unter der Leuchtkraft der Sonne wird die von ihr insgesamt abgestrahlte Strahlungsleistung $P_{Sonne} = 3{,}82 \cdot 10^{26}$ W verstanden.

Eine Raumsonde befindet sich in $1{,}496 \cdot 10^{8}$ km Entfernung vom Mittelpunkt der Sonne (Anfangsgeschwindigkeit $v_0 = 0$). Sie soll durch ein Sonnensegel in die äußeren Gefilde des Sonnensystems getrieben werden (Gesamtmasse des Raumfahrzeugs: $m = 400$ kg). Das kreisförmige Sonnensegel mit einem Durchmesser von $d = 10$ m ist mit einer spiegelnden Schicht versehen, welche das auftreffende Sonnenlicht reflektiert. Der Einfachheit halber soll angenommen werden, dass es sich bei der Sonnenstrahlung um monochromatisches Licht der Wellenlänge $\lambda = 600$ nm handelt.

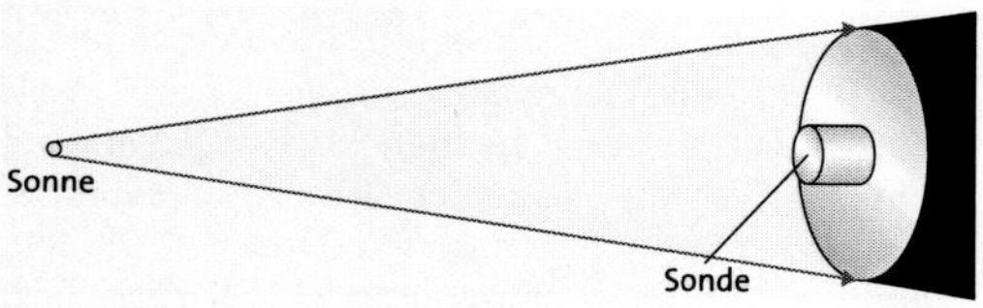

a) Berechnen Sie, wie viele von der Sonne stammende Photonen pro Sekunde auf das Sonnensegel treffen.

b) Berechnen Sie die Beschleunigung, die aufgrund der Reflexion der Photonen am Sonnensegel auf die Sonde wirkt.

c) Bestimmen Sie die Geschwindigkeit, die die Sonde nach einer Woche erreicht hat.

Lösung:

a) Die Energie eines einzelnen Photons beträgt

$$E_{Ph} = hf = \frac{hc}{\lambda}.$$

Die Anzahl der insgesamt von der Sonne ausgesandten Photonen ist demnach

$$N_{Ph,ges} = \frac{P_{Sonne} \cdot 1{,}0\ \text{s}}{E_{Ph}} = \frac{P_{Sonne} \cdot 1{,}0\ \text{s} \cdot \lambda}{hc}$$

$$= \frac{3{,}82 \cdot 10^{26}\ \text{W} \cdot 1{,}0\ \text{s} \cdot 600 \cdot 10^{-9}\ \text{m}}{6{,}6261 \cdot 10^{-34}\ \text{Js} \cdot 3{,}00 \cdot 10^{8}\ \text{m/s}} = 1{,}15 \cdot 10^{45}$$

Davon erreicht nur derjenige Bruchteil das Sonnensegel, welcher sich durch den Anteil der Sonnensegelfläche an der gesamten Kugeloberfläche um die Sonne als Mittelpunkt mit Radius $r = 1{,}496 \cdot 10^{8}$ km ergibt:

$$N_{Ph} = \frac{(d/2)^2 \pi}{4 \pi r^2} N_{Ph,ges} = \frac{(5{,}0\ \text{m})^2}{4 (1{,}496 \cdot 10^{8}\ \text{m})^2} \cdot 1{,}15 \cdot 10^{45}$$

$$= 3{,}21 \cdot 10^{23}$$

b) Bei der Reflexion eines Photons ändert sich der Impulsbetrag des Photons um $\Delta p = 2\,p_{Ph}$ **(s. Abb. rechts):**

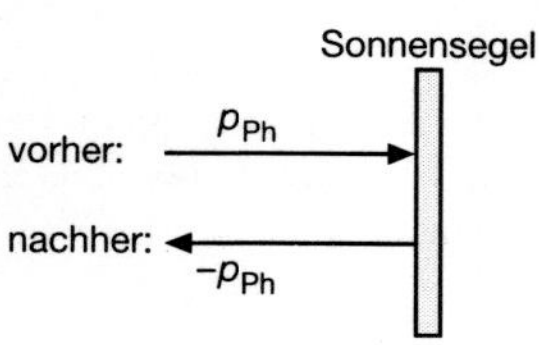

$$\Delta p = p_{nachher} - p_{vorher} = -p_{Ph} - p_{Ph} = -2\,p_{Ph}$$

Wegen der Impulserhaltung erfährt das Sonnensegel eine betragsgleiche Impulsänderung (in entgegengesetzter Richtung). In einer Sekunde ändert sich demnach der Impuls der Sonde mit Sonnensegel um $\Delta p_{Sonde} = N_{Ph} \Delta p = N_{Ph} \cdot 2\,p_{Ph} = N_{Ph} \cdot 2\,h/\lambda$.

Die Beschleunigung ist $a = \Delta v / \Delta t$, also

$$a = \frac{\Delta p_{Sonde}}{m_{Sonde} \Delta t} = \frac{N_{Ph} \cdot 2h}{m_{Sonde} \Delta t \lambda}$$

$$= \frac{3{,}21 \cdot 10^{23} \cdot 2 \cdot 6{,}6261 \cdot 10^{-34}\ \text{Js}}{400\ \text{kg} \cdot 1{,}00\ \text{s} \cdot 600 \cdot 10^{-9}\ \text{m}} = 1{,}77 \cdot 10^{-6}\ \text{m/s}.$$

c) Aus $a = \Delta v / \Delta t$ folgt für den Geschwindigkeitszuwachs in einer Woche:

$$\Delta v = a \Delta t = 1{,}77 \cdot 10^{-6}\ \text{m/s}^2 \cdot 7 \cdot 24 \cdot 3600\ \text{s} = 1{,}07\ \text{m/s}$$

Seite 126

Wellencharakter von He-Atomen

1991 führten CARNAL und MLYNEK eines der ersten Doppelspaltexperimente mit Atomen durch. Die Heliumatome trafen mit einheitlicher Geschwindigkeit v in y-Richtung auf einen Beugungsspalt und in 64 cm Entfernung dahinter auf einen Doppelspalt. 64 cm hinter dem Doppelspalt wurde die Anzahl der in 10 Minuten auftreffenden He-Atome mit einem Detektor aufgezeichnet (Intensität).

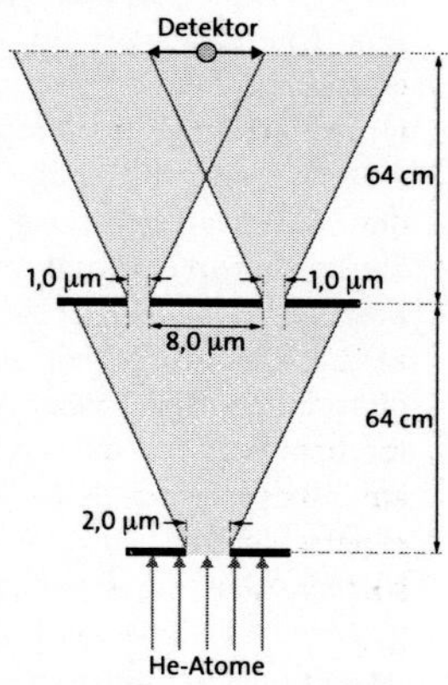

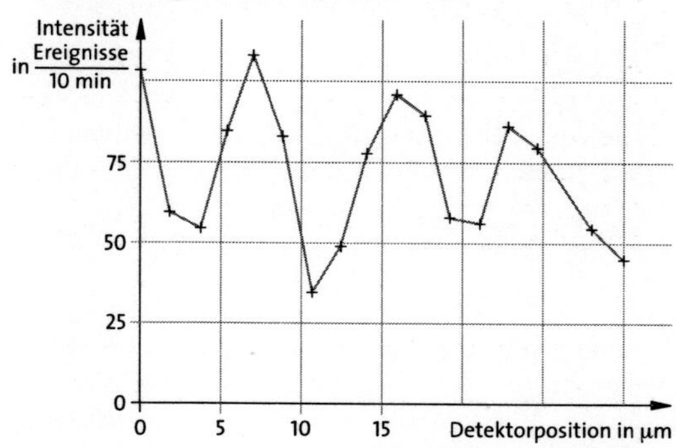

Die übrigen Abmessungen der Versuchsapparatur und die Intensitätsverteilung sind den Abbildungen zu entnehmen.

a) **Druckfehler in der ersten Auflage: Aufgabenformulierung folgendermaßen:**

Erläutern Sie, inwiefern der Versuch **die Welleneigenschaften bei der Ausbreitung von** Heliumatomen bestätigt.

b) Berechnen Sie mithilfe der abgebildeten Intensitätsverteilung die De-Broglie-Wellenlänge λ und die Geschwindigkeit v der Heliumatome. Dabei können Sie die für kleine Winkel gültige Näherung $\sin\alpha \approx \tan\alpha$ verwenden. (Zur Kontrolle: $v = 8{,}7 \cdot 10^2$ m/s)
c) Schätzen Sie mithilfe der Heisenberg'schen Unschärferelation die Breite des Heliumstrahls in der Doppelspaltebene in 64 cm Entfernung vom Beugungsspalt ab. Weisen Sie mit Ihrem Ergebnis nach, dass die beiden Spalte mit der durch den Beugungsspalt aufgeweiteten Strahlung tatsächlich noch ausgeleuchtet werden.
d) Die Geschwindigkeit der He-Atome ist für Quantenobjekte sehr gering. Nennen Sie Vorteile, die eine geringe Geschwindigkeit für den Versuch hat.
e) Die sehr niedrige Zählrate lässt erkennen, dass die He-Atome *einzeln* durch den Doppelspalt gelangen. Erläutern Sie, welche Bedeutung die gemessene Intensitätsverteilung für das einzelne Heliumatom hat.
f) Erklären Sie, inwiefern sich das Versuchergebnis ändert, wenn die Spalte des Doppelspalts während der Messwerterfassung wechselweise für jeweils 5 min einzeln geöffnet werden.

Lösung:
a) Am Beugungsspalt findet Beugung statt; hinter dem Doppelspalt zeichnet der Detektor ein Interferenzmuster mit ausgeprägten Maxima und Minima auf. Beugung und Interferenz sind typische Welleneigenschaften.
b) Der Abstand d zweier benachbarter Maxima ergibt sich aus der Abbildung in etwa zu $d = 8{,}1$ µm. Anwendung der Kleinwinkelnäherung auf die bekannten Beziehungen für den Doppelspalt ergibt

$\frac{d}{a} = \tan\alpha \approx \sin\alpha = \frac{\lambda_B}{b}$; daraus folgt

$$\lambda_B = \frac{d}{a} b = \frac{8{,}1\ \mu\text{m}}{64\ \text{cm}} \cdot 9\ \mu\text{m} = 1{,}14 \cdot 10^{-10}\ \text{m}.$$

Der zu dieser De-Broglie-Wellenlänge gehörende Impuls p liefert die Geschwindigkeit v der He-Atome:

$$v = \frac{p}{m} = \frac{h}{\lambda_B m} = \frac{6{,}626 \cdot 10^{-34}\ \text{Js}}{1{,}14 \cdot 10^{-10}\ \text{m} \cdot 4{,}003 \cdot 1{,}661 \cdot 10^{-27}\ \text{kg}}$$
$$= 8{,}7 \cdot 10^2\ \text{m/s}$$

Anmerkung: Die Maxima sind recht unscharf, sodass ein genaues Messen ihres Abstandes nicht möglich ist. Je nach Ablesung können sich Abweichungen um bis zu 10 % ergeben.
c) Der Beugungsspalt mit Breite $b = 2{,}0$ µm stellt gemäß der Darstellung der Heisenberg'schen Unschärferelation in → 1.3 eine Ortsunschärfe $\Delta x = b/2 = 1{,}0$ µm dar. Damit gilt für die Impulsunschärfe Δp_x senkrecht zur ursprünglichen Bewegungsrichtung der He-Atome:

$$\Delta p_x \geq \frac{h}{4\pi\Delta x} = \frac{6{,}626 \cdot 10^{-34}\ \text{Js}}{4\pi \cdot 1{,}0 \cdot 10^{-6}\ \text{m}} = 5{,}27 \cdot 10^{-29}\ \text{Ns}$$

Für die zugehörige Geschwindigkeit v_x gilt

$$v_x \geq \frac{\Delta p_x}{m} = \frac{5{,}27 \cdot 10^{-29}\ \text{Ns}}{4{,}0 \cdot 1{,}66 \cdot 10^{-27}\ \text{kg}} = 7{,}94 \cdot 10^{-3}\ \text{m/s}.$$

Damit lässt sich die durch die Unschärferelation bedingte Mindestbreite Δd des Heliumstrahls auf Höhe der Doppelspaltblende in 64 cm Entfernung zum Beugungsspalt abschätzen:

Aus $\Delta d/a = \frac{v_x}{v}$ folgt

$$\Delta d = \frac{v_x}{v} a \geq \frac{7{,}94 \cdot 10^{-3}\ \text{m/s}}{8{,}7 \cdot 10^2\ \text{m/s}} \cdot 0{,}64\ \text{m} = 5{,}8\ \mu\text{m}.$$

Die Aufweitung des He-Strahls beträgt also mindestens zweimal 5,8 µm und reicht damit aus, um den Doppelspalt mit der Gesamtbreite 10 µm zu beleuchten.
d) Eine geringe Geschwindigkeit bedeutet eine große De-Broglie-Wellenlänge. Je größer die Wellenlänge, desto größer können auch die beugenden Objekte, also die Spalte der Versuchsapparatur sein bzw. desto weiter liegen auch die Interferenzmaxima auseinander. Die Apparatur ist also leichter herzustellen und zu justieren und das Interferenzmuster lässt sich leichter nachweisen.
Anmerkung: Erschwerend wirkt sich u. a. aus, dass eine geringe absolute Abweichung der Geschwindigkeiten der He-Atome eine große relative Abweichung bedeutet. Die He-Atome müssen also sehr genau auf eine einheitliche Geschwindigkeit präpariert werden.
e) Die Intensitätsverteilung entspricht einer Wahrscheinlichkeitsverteilung für das Auftreffen jedes einzelnen He-Atoms. Die Intensität bei einer bestimmten Position des Detektors ist nach langer Messwertaufnahme proportional zur Wahrscheinlichkeit, dort ein He-Atom nachzuweisen.
f) Die ausgeprägten Interferenzstreifen des Doppelspaltversuchs verschwinden, da sich mit der Abänderung der Versuchsapparatur auch die Wahrscheinlichkeitsverteilung für die He-Atome ändert. Die Intensitätsverteilungen der beiden Einzelspalte addieren sich ($I_{ges} = I_1 + I_2$), es findet also keine Interferenz statt.

Transmissionselektronenmikroskop

In einem Transmissionselektronenmikroskop (TEM) wird eine Probe mit Elektronen anstelle von sichtbarem Licht wie bei einem Lichtmikroskop durchstrahlt. Eine typische Beschleunigungsspannung für den Elektronenstrahl ist $U_B = 50$ kV. Der Elektronenstrahl kann – ähnlich wie Licht durch Glaslinsen – durch sogenannte elektrostatische und magnetische Linsen fokussiert werden (→ Bd. 11, 3.2.2).

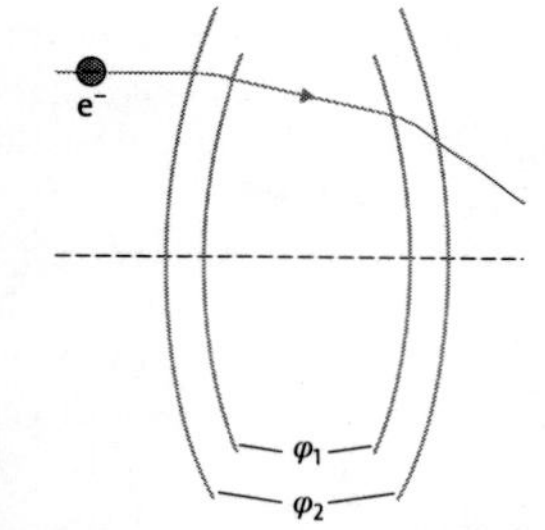

Bei einer elektrostatischen Linse wird durch eine raffinierte Anordnung von Lochblenden aus Metall ein elektrisches Feld geformt, dessen Äquipotentialflächen an die Form einer optischen Sammellinse erinnern. In der abgebildeten, vereinfachten Darstellung ist das Potential φ_1 im Inneren höher als das Potential φ_2 am Rand der elektrostatischen Linse.

a) Übertragen Sie die Zeichnung auf ein Blatt und ergänzen Sie sie durch elektrische Feldlinien zwischen den Äquipotentialflächen. Begründen Sie mithilfe der Radialkomponenten der elektrischen Feldkraft qualitativ den eingezeichneten Verlauf einer Elektronenbahn.

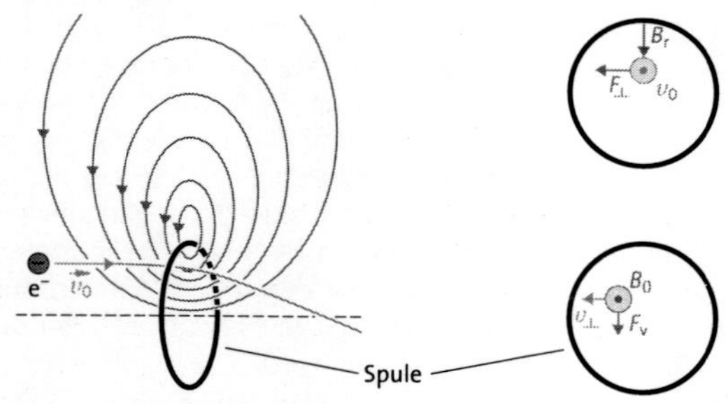

von der Seite — von vorne

Bei magnetischen Linsen wird ein inhomogenes Magnetfeld einer kurzen, stromdurchflossenen Spule zur Fokussierung genutzt. Ein mit der Geschwindigkeit v_0 parallel zur optischen Achse fliegendes Elektron tritt wie abgebildet in das inhomogene Magnetfeld ein. Das Magnetfeld hat eine Komponente B_0 parallel zur optischen Achse sowie eine radiale Komponente B_r.

b) Begründen Sie anhand der oberen Abbildung, weshalb das Elektron durch das elektrische Feld seine Bewegungsrichtung ändert und eine Geschwindigkeitskomponente $v_\perp$ erhält.

c) Begründen Sie anhand der unteren Abbildung, weshalb der Elektronenstrahl durch das Magnetfeld der Spule in Richtung der optischen Achse abgelenkt wird.

Das Auflösungsvermögen eines Mikroskops, d.h. die Größe der Strukturen, die sich noch sichtbar machen lassen, ist prinzipiell durch Beugungseffekte begrenzt. Es liegt in der Größenordnung der Wellenlänge der verwendeten Strahlung.

d) Vergleichen Sie die beim Lichtmikroskop verwendeten Wellenlängen mit der De-Broglie-Wellenlänge der Elektronen im Elektronenmikroskop (relativistische Rechnung!!).

Lösung:

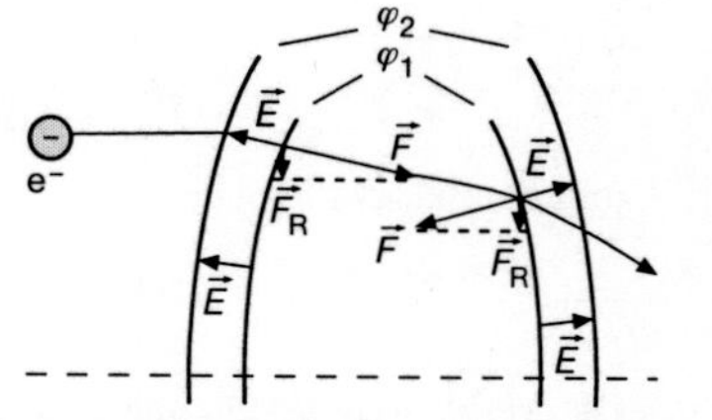

a) Die Radialkomponente des elektrischen Feldes zeigt für die abgebildete Elektronenbahn zwischen den beiden Äquipotentialflächen jeweils nach oben und deshalb die Radialkomponente der elektrischen Feldkraft $\vec{F}_R$ nach unten. Das Elektron wird deshalb wie abgebildet nach unten abgelenkt.

Bei einer optischen Sammellinse findet Brechung der Lichtstrahlen an den Grenzflächen statt, der Lichtstrahl verläuft ähnlich wie der Elektronenstrahl.

b) Bei der Annäherung des Elektrons an die Spule ist das Magnetfeld stark inhomogen: Es weist eine Radialkomponente B_r zur Spulenachse hin auf, die das Elektron auf der eingezeichneten Bahn nach der Drei-Finger-Regel von vorne gesehen nach links ablenkt. Das Elektron erhält also eine tangentiale Geschwindigkeitskomponente $v_\perp$.

(Da nach dem Passieren der Spule die Radialkomponente des Magnetfeldes nach oben zeigt und damit die Lorentzkraft von vorne gesehen nach rechts, wird die Horizontalgeschwindigkeit des Elektrons hinter der Spule wieder auf null verringert.)

c) Die Ablenkung nach unten erfolgt durch die Tangentialkomponente $v_\perp$ der Geschwindigkeit des Elektrons, während es sich im Einfluss des Magnetfeldes der Spule befindet. Die zur Spulenachse parallele Magnetfeldkomponente B_0 übt zusammen mit $v_\perp$ eine Lorentzkraft in Richtung Spulenachse aus. so das Elektron zur optischen Achse (= Spulenachse) hin abgelenkt wird.

d) *1. Möglichkeit:* Mithilfe der relativistischen Energie-Impuls-Beziehung kann der Impuls und daraus die De-Broglie-Wellenlänge der Elektronen berechnet werden.

Aus $(E_0 + E_{kin})^2 = p^2 c^2 + E_0^2$ folgt

$$p = \sqrt{\frac{(E_0 + E_{kin})^2 - E_0^2}{c^2}} = \sqrt{\frac{(561\ \text{keV})^2 - (511\ \text{keV})^2}{(3{,}0 \cdot 10^8\ \text{m/s})^2}}$$

$$= \frac{\sqrt{1{,}38 \cdot 10^{-27}\ \text{N}^2\text{m}^2}}{3{,}0 \cdot 10^8\ \text{m/s}} = 1{,}24 \cdot 10^{-22}\ \text{Ns}$$

und daraus

$$\lambda_B = \frac{h}{p} = \frac{6{,}626 \cdot 10^{-34}\ \text{Js}}{1{,}24 \cdot 10^{-22}\ \text{Ns}} = 5{,}4 \cdot 10^{-12}\ \text{m}.$$

2. Möglichkeit: Die Geschwindigkeit der Elektronen wird aus ihrer Gesamtenergie berechnet. Daraus ergeben sich Impuls und De-Broglie-Wellenlänge. Aus

$$E_0 + E_{kin} = E_{ges} = m c^2 = \frac{m_0}{\sqrt{1 - (v/c)^2}} c^2 = \frac{E_0}{\sqrt{1 - (v/c)^2}}$$

folgt

$$1 - \left(\frac{v}{c}\right)^2 = \left(\frac{E_0}{E_0 + E_{kin}}\right)^2,$$

daraus

$$v = \sqrt{1 - \left(\frac{E_0}{E_0 + E_{\text{kin}}}\right)^2}\, c = \sqrt{1 - \left(\frac{511\ \text{keV}}{561\ \text{keV}}\right)^2}\, c = 0{,}41\, c$$

und daraus schließlich

$$\lambda = \frac{h}{m\,v} = \frac{\sqrt{1-(v/c)^2}\, h}{m_0\, v} = \frac{\sqrt{1-0{,}41^2}\, h}{m_0 \cdot 0{,}41\, c} = 5{,}4 \cdot 10^{-12}\ \text{m}.$$

Die verwendete Wellenlänge im Elektronenmikroskop ist bei einer Beschleunigungsspannung von 50 kV also etwa 10^5-mal kleiner als die Wellenlänge im Lichtmikroskop.

Dieser Faktor wird allerdings beim Auflösungsvermögen nicht erreicht, da die elektronenoptische Fokussierung mit größeren relativen Fehlern behaftet ist als die Lichtoptik.

Seite 127

Versuche mit Helium

Bei einer Franck-Hertz-Röhre mit He-Füllung wird bei einer Beschleunigungsspannung von $U = 1{,}76$ V eine Leuchterscheinung unmittelbar vor dem Anodengitter beobachtet.

a) Erklären Sie, wie die Leuchterscheinung zustande kommt, insbesondere, warum die Leuchterscheinung von allen Seiten beobachtbar ist.

b) Berechnen Sie die Wellenlänge des ausgesandten Lichts und bestimmen Sie dessen Farbe.

c) Das Licht eines in der Frequenz zwischen 690 nm und 710 nm verstimmbaren Lasers wird durch einen halbdurchlässigen Spiegel S in zwei gleich intensive Teilstrahlen aufgeteilt.

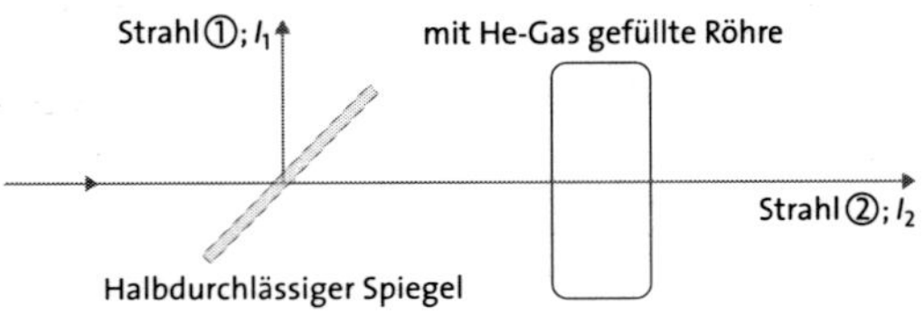

I_1 ist die Intensität von Strahl ①. Strahl ② wird durch eine mit He-Gas gefüllte Röhre gelenkt und anschließend dessen Intensität I_2 bestimmt. Zeichnen Sie ein Diagramm von I_2/I_1 in Abhängigkeit von der Laserwellenlänge λ.

Lösung:

a) Elektronen mit einer kinetischen Energie von $U e = 1{,}76$ eV sind in der Lage, ihre Energie an Atome des He-Gases zu übertragen und diese in einen angeregten Zustand zu bringen. Geht ein angeregtes Atom wieder in den Grundzustand über, so wird ein Photon der Energie 1,76 eV ausgesandt.

Da die Elektronen erst unmittelbar vor dem Anodengitter die zur Anregung notwendige Energie von 1,76 eV erreichen, tritt die Leuchterscheinung nur dort auf.

Sie ist auch von der Seite aus sichtbar, da die Photonen von den angeregten He-Atomen isotrop, d. h. gleichverteilt in alle beliebigen Richtungen, ausgesandt werden.

b) Mit $E = hf = h\,c/\lambda$ ergibt sich die Wellenlänge

$$\lambda = \frac{h\,c}{E} = \frac{1{,}2398516 \cdot 10^{-6}\ \text{eVm}}{1{,}76\ \text{eV}} = 704\ \text{nm}.$$

Die Farbe des zugehörigen Lichtes ist Rot.

c) Strahl ① dient als Referenzstrahl, wohingegen die Photonen bei Strahl ② bei passender Energie mit den Atomen des He-Gases wechselwirken und dann absorbiert werden.

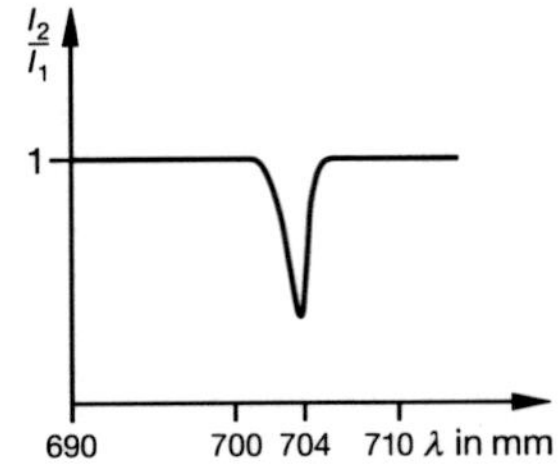

Wasserstoffspektrum

Jedes Element und jedes Molekül kann eindeutig durch sein charakteristisches Spektrum identifiziert werden.

a) Beschreiben Sie ein Experiment, mit dem die zu den sichtbaren Linien des Wasserstoffspektrums gehörenden Wellenlängen gemessen werden können.

b) BALMER ermittelte aus den im sichtbaren Bereich gemessenen Wellenlängen λ im Jahre 1884 die Serienformel

$$f = R\left(\frac{1}{4} - \frac{1}{n^2}\right) \quad \text{mit} \quad R = 3{,}2898 \cdot 10^{15}\ \text{Hz}.$$

Berechnen Sie, wie viele Spektrallinien im sichtbaren Bereich (390 nm ≤ λ ≤ 780 nm) liegen.

c) Die Emission und die Absorption von Photonen wird durch die Änderung von Energiezuständen des Atoms erklärt. Die drei Abbildungen stellen Querschnitte durch die Orbitale der drei niedrigsten Energieniveaus dar. Skizzieren Sie zu jedem der drei Zustände die entsprechende Wellenfunktion und erläutern Sie den Zusammenhang zwischen den Darstellungen der Orbitale und der von Ihnen gezeichneten Wellenfunktion.

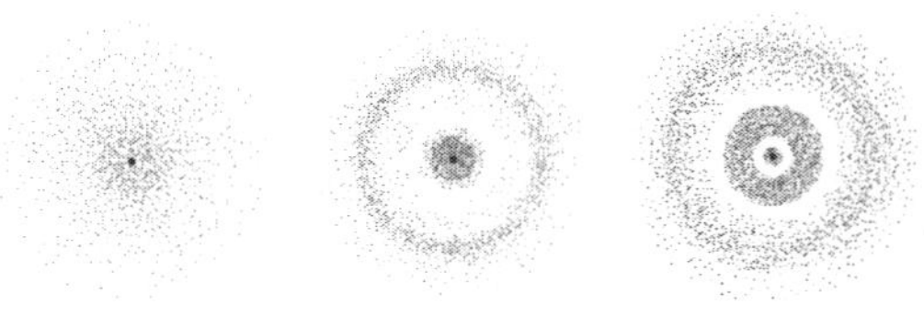

d) Die langwelligste Linie der Balmer-Serie liegt bei $\lambda = 657$ nm. Berechnen Sie die Energie, die mindestens nötig ist, um ein Wasserstoffatom im Grundzustand zur Aussendung eines entsprechenden Photons anzuregen

e) Erläutern Sie den grundlegenden Unterschied zwischen der Anregung eines Atoms durch Absorption eines Photons bzw. durch Elektronenstoß.

Lösung:

a) Wasserstoff wird in einer Gasentladungsröhre zum Leuchten angeregt. Das emittierte Licht wird mithilfe eines optischen Gitters spektral zerlegt.

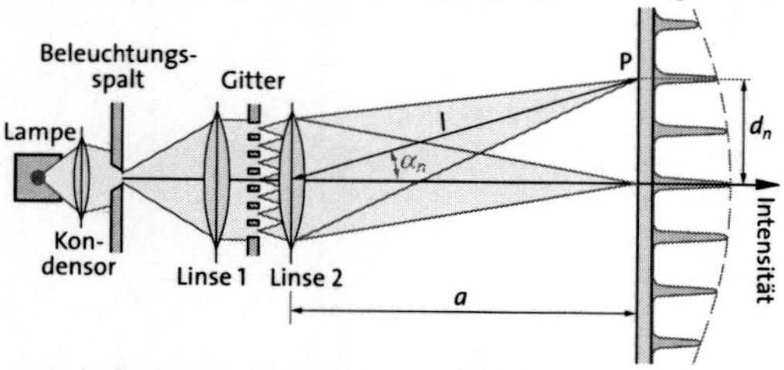

Aus der Ordnung n des Maximums, der Gitterkonstanten b und dem Winkel α, unter dem das Maximum beobachtet wird, kann die Wellenlänge λ der Spektrallinie berechnet werden (→ Bd 11, 5.2.7):

$n\lambda = b \sin\alpha$

b) Sinnvolle Werte liefert die Serienformel für $n \geq 3$. Die größte Wellenlänge ergibt sich für $n = 3$.

$$f(n = 3) = R\left(\frac{1}{4} - \frac{1}{9}\right) = 4{,}57 \cdot 10^{14}\ \text{Hz}$$

$$\lambda(n = 3) = c/4{,}57 \cdot 10^{14}\ \text{Hz} = 657\ \text{nm}$$

Diese Spektrallinie liegt im sichtbaren Bereich.

Für die Spektrallinie mit der kürzesten Wellenlänge im sichtbaren Bereich muss gelten:

$$\lambda \geq \lambda_{\min} = 390\ \text{nm}$$

$$f \leq f_{\max} = c/\lambda_{\min}$$

$$R\left(\frac{1}{4} - \frac{1}{n^2}\right) \leq f_{\max}$$

$$\frac{1}{n^2} \geq \frac{1}{4} - \frac{f_{\max}}{R}$$

$$n^2 \leq \frac{4R}{R - 4f_{\max}}$$

$$n \leq \sqrt{\frac{4R}{R - 4f_{\max}}} = 7{,}86$$

$$n \leq 7$$

Damit liegen die fünf Spektrallinien für $n = 3, 4, 5, 6$ und 7 im sichtbaren Bereich.

c) Nach → 2.2.2 haben die zu den drei niedrigsten Energiezuständen gehörenden Wellenfunktionen folgende Gestalt:

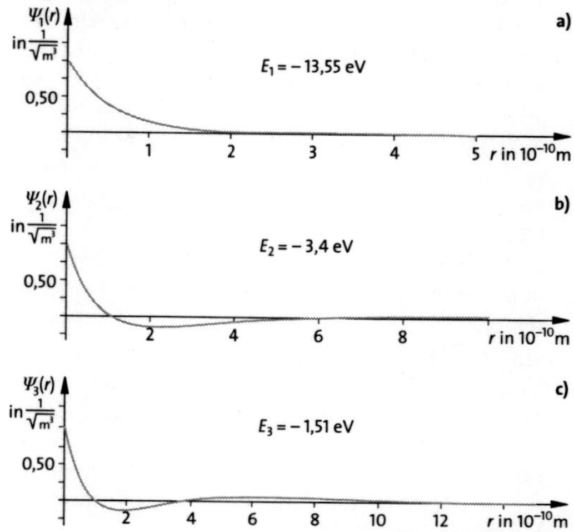

Dabei ist das Betragsquadrat der Wellenfunktion $\psi^2(r)$ proportional zur Antreffwahrscheinlichkeit des Elektrons. In den Darstellungen der Orbitale wird die Antreffwahrscheinlichkeit durch den Grad der Schwärzung veranschaulicht.

Im Bereich der Radien mit $\psi(r) = 0$ (E_2 und E_3) ist die Antreffwahrscheinlichkeit null. Deshalb erscheint für diese Radien ein weißer (nicht geschwärzter) Ring in den Darstellungen. Die Schnitte der Orbitale sind umso stärker geschwärzt, je größer der Betrag und damit auch das Betragsquadrat der zugehörigen Wellenfunktion sind.

d) Die Linie mit $\lambda = 657$ nm entsteht beim Übergang vom Zustand $n = 3$ auf $n = 2$. Damit dieser Übergang überhaupt zustandekommen kann, muss das Wasserstoffatom zuvor vom Grundzustand in den Zustand $n = 3$ angeregt worden sein. Dafür ist die Energie

$$\Delta E = E_3 - E_1 = -13{,}55\ \text{eV}\left(\frac{1}{3^2} - 1\right) = 12{,}04\ \text{eV}$$

nötig.

e) Ein Photon kann ein Atom nur anregen, wenn es absorbiert wird. Dazu muss das Photon eine zu einem möglichen Übergang genau passende Energie haben. Stimmt seine Energie nicht mit einer möglichen Anregungsenergie überein, können die Photonen nicht absorbiert werden und das Atom wird nicht angeregt (Resonanzabsorption → 2.1.2).

Ein Elektron kann bei Stoßanregung auch einen Teilbetrag seiner kinetischen Energie an das Atom abgeben. Das Elektron muss also nicht eine bestimmte, genau zu einem Übergang passende kinetische Energie haben, solange diese größer ist als die zur Anregung des Atoms nötige Mindestenergie (Franck-Hertz-Versuch → 2.4.1).

Franck-Hertz-Versuch mit Neon

In einer Franck-Hertz-Röhre werden Neon-Atome durch Elektronenstoß angeregt. Hierbei absorbieren die Ne-Atome aus dem Grundzustand heraus bevorzugt die Energie 18,9 eV. Die Anodenstromstärke I_A wird mit einem empfindlichen Stromstärkemessgerät gemessen, während die Spannung U_G zwischen Katode und Gitter von 0 V bis 40 V erhöht wird.

a) Geben Sie ein Schaltbild des Versuchsaufbaus an und skizzieren Sie qualitativ den Verlauf des U_G-I_A-Diagramms.

b) Erklären Sie die periodische Abnahme der Anodenstromstärke bei einem Anwachsen der Spannung um $\Delta U_G \approx 19$ V.

c) Die Abnahme der Anodenstromstärke geht einher mit der Emission von orangefarbenem Licht der Wellenlänge $\lambda = 585$ nm. Geben Sie eine Erklärung für die Emission der Photonen im sichtbaren Bereich und berechnen Sie die Wellenlänge der Strahlung, die zusätzlich zu der sichtbaren Linie emittiert wird.

Lösung:

a)

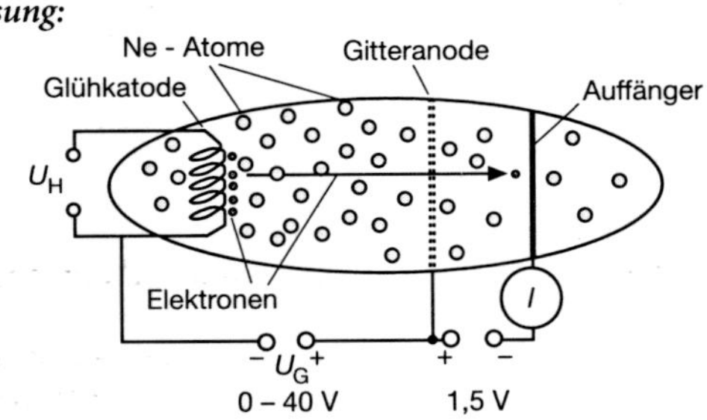

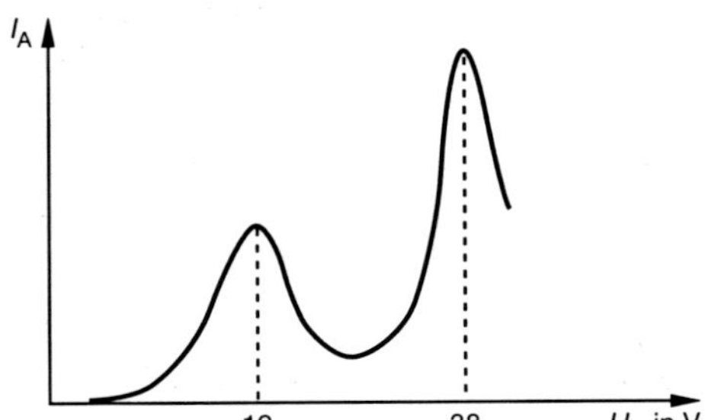

b) Bei 19 V Beschleunigungsspannung erhalten die Elektronen in der Röhre genügend kinetische Energie, um die Neonatome anregen zu können. Dabei geben Sie ihre kinetische Energie an die Neonatome ab. Danach reicht die Energie der Elektronen nicht mehr aus, um das elektrische Gegenfeld bis zur Auffanganode zu überwinden. Deshalb tragen diejenigen Elektronen, die Na-Atome angeregt haben, nicht mehr zum Anodenstrom bei, die gemessene Stromstärke nimmt ab.

Bei 38 V Beschleunigungsspannung erhalten die Elektronen genügend kinetische Energie, um zweimal ein Neonatom anregen zu können. Danach reicht ihre Energie ebenfalls nicht mehr aus, um die Auffanganode zu erreichen, die Anodenstromstärke sinkt erneut ab. Dieser Vorgang wiederholt sich periodisch bei weiterer Erhöhung der Beschleunigungsspannung um jeweils Vielfache von 19 V.

c) Die angeregten Neonatome fallen über einen Zwischenzustand in den Grundzustand zurück. Die Energiedifferenz entspricht der angegebenen Wellenlänge $\lambda_1 = 585$ nm. Der Grundzustand wird über die Emission eines weiteren Photons (Wellenlänge λ_2) wieder eingenommen.

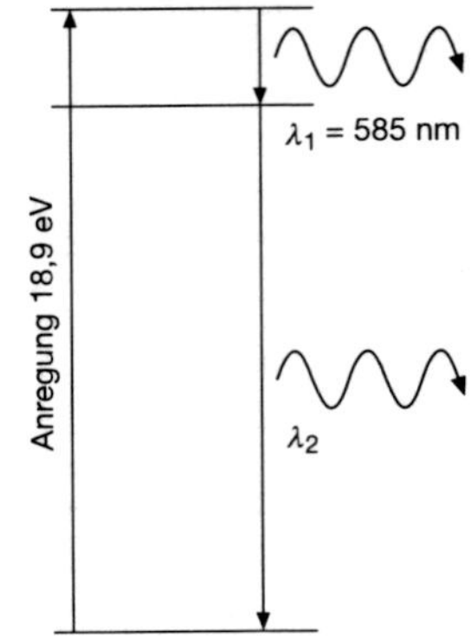

Dabei gilt:

$$\Delta E_1 = \frac{hc}{\lambda_1} = 2{,}12 \text{ eV}, \quad \Delta E_2 = 18{,}9 \text{ eV} - \Delta E_1 = 16{,}8 \text{ eV}$$

$$\lambda_2 = \frac{hc}{\Delta E_2} = 73{,}9 \text{ nm}$$

Stoßanregung von Helium

Druckfehler in der 1. Auflage: Es muss heißen „0,1 mT".

Zur Untersuchung der Anregung von Heliumatomen werden Elektronen mit einer Spannung $U_B = 50$ V beschleunigt, in einen mit Helium-Gas gefüllten Raum geschossen und anschließend in einem Magnetfeld, das senkrecht zur Geschwindigkeit der Elektronen steht, abgelenkt. Die abgelenkten Elektronen werden mit einer Fotoplatte registriert, wobei deren Schwärzung proportional zur Anzahl der Elektronen ist.

a)

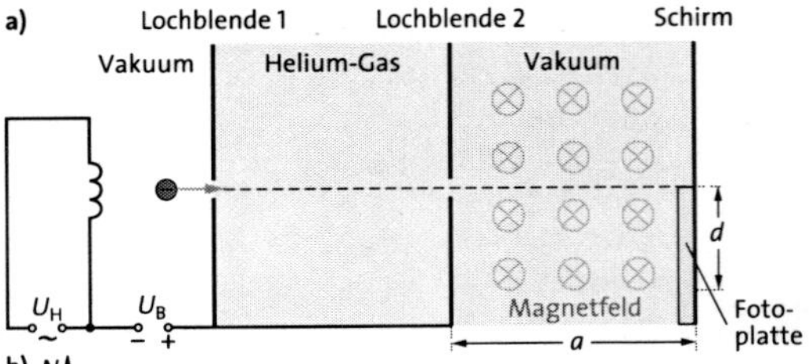

b)

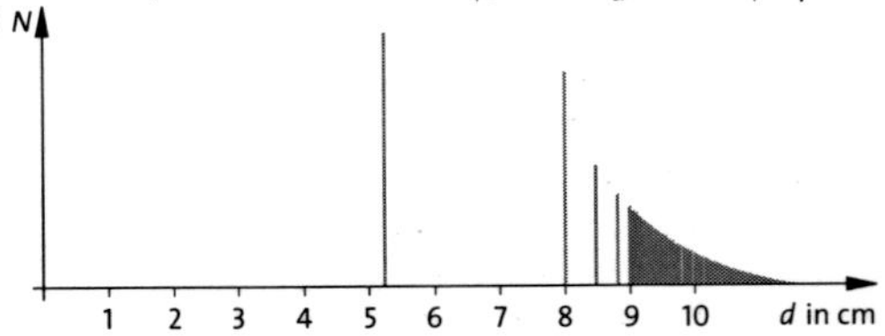

Abb. a) zeigt schematisch den Versuchsaufbau und **Abb. b)** das Messergebnis. Dabei ist die Anzahl der um die Strecke d von der Achse abgelenkten Elektronen durch die Länge des Balkens in **Abb. b)** dargestellt.

a) Begründen Sie, dass sich die Elektronen im Magnetfeld auf einer Kreisbahn bewegen, und zeigen Sie, dass die Energie der Elektronen gegeben ist durch
$E = \frac{e^2 B^2}{2m} r^2$ mit $r = \frac{d^2 + a^2}{2d}$, $a = 15$ cm und $B = 0{,}1$ mT.
b) Bestimmen Sie die Energien der in den Abständen 5,3 cm; 8,0 cm; 8,5 cm; 8,8 cm und 9,0 cm registrierten Elektronen und erklären Sie das Zustandekommen des diskreten und des kontinuierlichen Teils des Energiespektrums.
c) Ermitteln Sie auf der Grundlage dieser Versuchsergebnisse ein Energieniveauschema des Helium.

Lösung:

a) Geladene Körper, deren Geschwindigkeitsvektor v senkrecht auf dem Vektor B des Magnetfeldes steht, erfahren eine Kraft $F = e\,v\,B$, die senkrecht auf den beiden anderen Vektoren steht. Eine Kraft, die senkrecht zur Geschwindigkeit eines Körpers wirkt, verändert nicht den Betrag der Geschwindigkeit, sondern zwingt ihn auf eine Kreisbahn. Die Kraft $F = e\,v\,B$ ist die Zentripetalkraft $F_Z = m\,v^2 / r$. Daraus folgt $m\,v = e\,B\,r$ bzw. $v = e\,B\,r / m$. In dem rechtwinkligen Dreieck gilt $(r - d)^2 = r^2 - a^2$ oder $r^2 - 2\,r\,d + d^2 = r^2 - a^2$.
Hieraus folgt $r = \frac{a^2 + d^2}{2d}$.

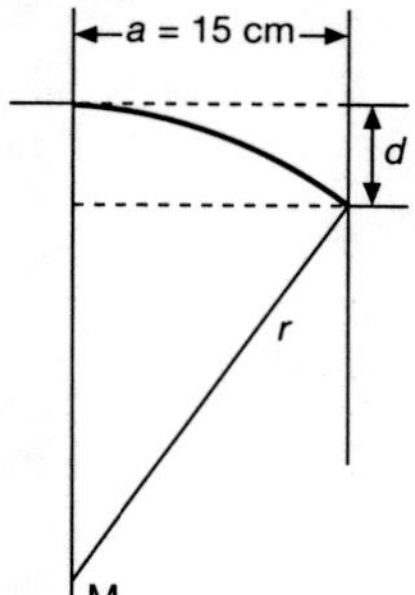

Für die kinetische Energie der Elektronen gilt
$E_{kin} = \frac{1}{2} m\,v^2$ und mit $v = \frac{e\,B\,r}{m}$

$$E_{kin} = \frac{e^2 B^2 r^2}{2m} = \frac{e^2 B^2}{2m} \frac{(a^2 + d^2)^2}{4d^2}.$$

b) Mithilfe der in Teil a) hergeleiteten Formel für die kinetische Energie der Elektronen nach Durchlaufen des Heliumgases ergeben sich folgende Werte:

d in cm	5,3	8,0	8,5	8,8	9,0
E in eV	50	28,68	26,88	25,96	25,41
Δ*E* in eV	0	21,32	23,12	24,04	24,59

Die in das Heliumgas eingeschossenen Elektronen haben eine kinetische Energie von 50 eV. Dies ist auch die Energie der bei $d = 5{,}3$ cm registrierten Elektronen. Die bei 8,0 cm, 8,5 cm und 8,8 cm registrierten Elektronen haben alle einen bestimmten Energiebetrag ΔE abgegeben (siehe letzte Zeile in der Tabelle). Die bei 9,0 cm und höheren Werte registrierten Elektronen haben ebenfalls Energie abgegeben, aber nach Überschreiten eines bestimmten Energiewertes, hier $E_{ion} = 24{,}59$ eV, können die Elektronen offenbar jede beliebige Energie > 24,59 eV an das Heliumgas abgeben. Die Elektronen führen also mit den Heliumatomen elastische Stöße, bei denen ihre kinetische Energie erhalten bleibt, oder unelastische Stöße, bei denen sie Energie an die Atome abgeben, aus.

c) Die Energie $E_{ion} = 24{,}59$ eV ist die Ionisierungsenergie der Heliumatome. Daraus folgt, dass $E_1 = -24{,}59$ eV der niedrigste Energiezustand der Heliumatome ist. Die übrigen Energien ΔE werden von Atomen absorbiert, die aus dem Grundzustand E_1 in höhere Energiezustände übergehen. Diese liegen um die Werte ΔE über dem Grundzustand, also bei $E_2 = -24{,}59$ eV + 21,32 = −3,27 eV usw. (− 1,47 eV, − 0,55 eV siehe Termschema).

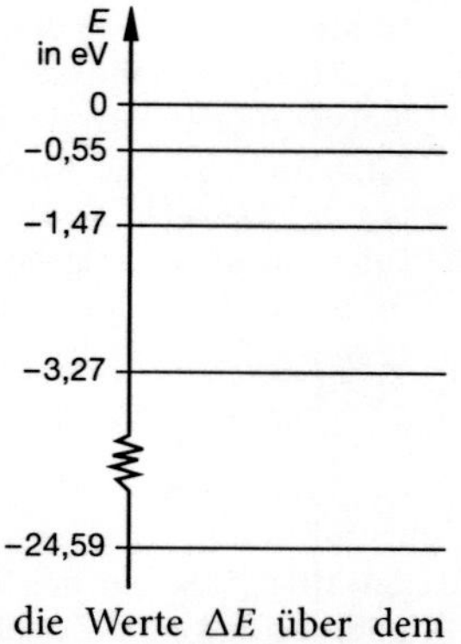

Sichtbares Licht wird emittiert bei den Übergängen
$\Delta E = E_4 - E_2 = 2{,}75$ eV mit $\lambda = 452$ nm und
$\Delta E = E_3 - E_2 = 1{,}83$ eV mit $\lambda = 679$ nm.

Seite 128

Der Radioisotopen-Generator der Raumsonde Cassini

Am 15.10.1997 wurde die Raumsonde Cassini gestartet, die am 01.07.2004 den Saturnmond Titan erreichte, den sie genauer untersuchte. Weil bei so großer Sonnendistanz die Stromversorgung durch Solarzellen versagt, hatte Cassini einen Radioisotopen-Generator an Bord. In ihm wird thermische Energie, die als Folge von radioaktiven Zerfällen auftritt, in elektrische Energie umgewandelt. Der Radioisotopen-Generator von Cassini enthielt beim Start 28,8 kg des α-Strahlers ^{238}Pu (Halbwertszeit $t_H = 87{,}7$ a) in Form von Plutoniumdioxid (PuO_2). Zum Zeitpunkt des Starts lieferte der Generator eine elektrische Leistung von $P = 888$ W.

a) Stellen Sie die Gleichung des ^{238}Pu-Zerfalls auf und geben Sie an, zu welcher Zerfallsreihe der Tochterkern gehört. Begründen Sie, warum der Zerfall dieses Tochterkerns und nachfolgende Zerfälle für die Stromversorgung von Cassini praktisch keine Rolle spielen.

b) Bestimmen Sie die Aktivität des mitgeführten Plutoniums beim Start der Sonde. (Zur Kontrolle: $1{,}83 \cdot 10^{16}$ Bq).

c) Die elektrische Leistung des Generators ist ungefähr proportional zur ^{238}Pu-Aktivität. Berechnen Sie den Prozentsatz, um den die Leistung im Verlauf des Flugs zum Saturn abnahm, sowie die dann noch vorliegende elektrische Leistung.

d) 71 % der Zerfälle von ^{238}Pu führen direkt zum Grundzustand des Tochterkerns, wobei jeweils ein α-Teilchen mit der kinetischen Energie von 5,499 MeV emittiert wird. 29 % der Zerfälle führen zum ersten angeregten Zustand des Tochterkerns. Dabei beträgt die kinetische Energie des emittierten α-Teilchens 5,456 MeV und es wird anschließend ein γ-Quant mit der Energie 43,5 keV ausgesandt. Skizzieren Sie aufgrund dieser Angaben das Energieniveauschema für den α-Zerfall von ^{238}Pu.

Lösung:

a) $^{238}_{94}\text{Pu} \rightarrow {}^{234}_{92}\text{U} + {}^{4}_{2}\text{He}$

Der Tochterkern ^{234}U gehört zur Uran-Radium-Zerfallsreihe. ^{234}U hat eine Halbwertszeit von $2{,}5 \cdot 10^5$ a, weshalb der Zerfall dieses Tochterkerns und nachfolgende Zerfälle für die Stromversorgung von Cassini praktisch keine Rolle spielen.

b) $A = \lambda N = \frac{\ln 2}{t_H} \frac{m}{m_{Pu238}}$

$= \frac{\ln 2}{87{,}7 \cdot 365 \cdot 24 \cdot 3600 \text{ s}} \frac{28{,}8 \text{ kg}}{238 \cdot 1{,}660\,54 \cdot 10^{-27} \text{ kg}}$

$= 1{,}83 \cdot 10^{16}$ Bq

c) Die Zeitdauer für den Flug zum Saturn beträgt ungefähr $t = 7$ a. Daraus ergibt sich eine Abnahme der Leistung auf

$\frac{P}{P_0} = \frac{A}{A_0} = e^{-\lambda t} = e^{-\frac{\ln 2}{t_H}} = e^{-\frac{\ln 2 \cdot 7 \text{ a}}{87{,}7 \text{ a}}} = 95\,\%.$

Die Leistung nahm also im Verlauf des Fluges um 5 % ab.

Bei Erreichen des Saturn betrug die elektrische Leistung noch $0{,}95 \cdot 888$ W = 0,84 kW.

d)

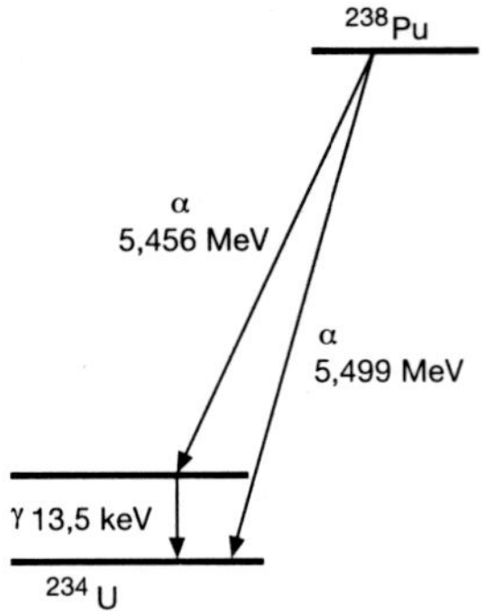

Bestrahlung von Gehirntumoren mit Neutronenstrahlung

Für die Behandlung bestimmter Gehirntumore werden derzeit Studien zu Therapiemöglichkeiten mit Neutronen durchgeführt. Dabei wird dem Patienten ein borhaltiges Medikament verabreicht, das sich bevorzugt in Tumorzellen anreichert. Dann wird der Patient kontrolliert der Neutronenstrahlung eines Forschungsreaktors ausgesetzt. Dabei fängt ein (ruhender) ^{10}B-Kern ($m_{B10} = 10{,}012\,937$ u) mit großer Wahrscheinlichkeit ein thermisches Neutron ein und zerfällt dann sofort in einen stabilen Restkern, wobei ein α-Teilchen mit der kinetischen Energie 1,47 MeV und ein γ-Quant mit der Energie 0,478 MeV emittiert werden.

a) Geben Sie die Reaktionsgleichung an.

b) Berechnen Sie die kinetische Energie des entstandenen Restkerns. Die kinetische Energie des Neutrons kann hierbei vernachlässigt werden. (m_{Li7} = 7,016 003 u)

c) Schnelle Neutronen werden nach dem Eintritt in den Körper zunächst moderiert. Erläutern Sie diesen Vorgang.

d) Das bei der Reaktion entstandene α-Teilchen verliert auf seinem Weg im Körper etwa alle $2 \cdot 10^{-10}$ m durch Wechselwirkung mit Molekülen bzw. Atomen im Durchschnitt 40 eV seiner kinetischen Energie. Schätzen Sie die Reichweite des α-Teilchens ab (zum Vergleich: Zelldurchmesser $2 \cdot 10^{-5}$ m).

Lösung:

a) $^{10}_{5}\text{B} + {}^{1}_{0}\text{n} \rightarrow {}^{7}_{3}\text{Li} + {}^{4}_{2}\text{He} + \gamma$

b) Die Reaktionsenergie beträgt

$E = \Delta m c^2 = (m_{B10} + m_n - (m_{Li7} + m_{He4}))\, c^2$

$= (10{,}012\,937 \text{ u} + 1{,}008\,665 \text{ u})\, c^2$

$- (7{,}016\,003 \text{ u} + 4{,}002\,603 \text{ u})\, c^2$

$= 2{,}996 \cdot 10^{-3} \text{ u} c^2 = 2{,}996 \cdot 10^{-3} \cdot 931{,}49$ MeV

$= 2{,}791$ MeV.

Da das Neutron als thermisches Neutron keinen wesentlichen Beitrag zur Energiebilanz leistet und das Bor-Atom vor der Reaktion ruhte, gilt für die kinetische Energie des Restkerns ^{7}Li:

$E_{Li7} = E - E_\alpha - E_\gamma$

$= 2{,}791 \text{ MeV} - 1{,}47 \text{ MeV} - 0{,}478 \text{ MeV} = 0{,}84$ MeV

c) Der menschliche Körper besteht zu etwa 70 % aus Wasser H_2O, er enthält also sehr viele Wasserstoffatome ^{1}H, die für ein Neutron ^{1}n in etwa gleich schwere Stoßpartner darstellen. Beim elastischen Stoß eines Neutrons mit einem Wasserstoffatom verliert das Neutron deshalb einen großen Teil seiner kinetischen Energie, es wird langsamer, also moderiert.

d) Die Reichweite des α-Teilchens ergibt sich zu

$\frac{1{,}47 \text{MeV}}{40 \text{ eV}} \cdot 2 \cdot 10^{-10} \text{ m} = 7\ \mu\text{m}.$

Das α-Teilchen kann demnach die Tumorzelle mit einem Durchmesser von 20 µm nicht verlassen.

Neutronenaktivierung bei Halbleitern

Halbleiterbauelemente werden z. B. aus Silicium hergestellt. Um dem Material die benötigten Leitungseigenschaften zu verleihen, wird das Silicium dotiert, d. h. ein Teil der Atome im Silicium-Kristallgitter wird durch andere Atome, z. B. Phosphor, ersetzt. Für spezielle Anwendungen wird nicht das übliche Diffusionsverfahren angewandt, sondern der aufwändigere Weg von Kernumwandlungen beschritten. Beim Bestrahlen mit thermischen Neutronen in einem Reaktor geht das Silicium-Isotop ^{30}Si in ^{31}Si über. ^{31}Si ist instabil und geht durch β^--Zerfall in das stabile Phosphor-Isotop ^{31}P über.

a) Erklären Sie den Begriff „thermisches Neutron" und begründen Sie, warum solche Neutronen besonders gut zur Auslösung von Kernreaktionen geeignet sind.

b) Beschreiben Sie eine Methode zur Erzeugung freier Neutronen sowie eine Möglichkeit zur Abbremsung schneller Neutronen (jeweils mit kurzer Begründung).

c) Begründen Sie im Hinblick auf die besonderen Eigenschaften des Neutrons, warum das Bestrahlen von Silicium mit Neutronen zu einer Dotierung im gesamten Bereich des bestrahlten Siliciums führt.

d) Geben Sie die Kernreaktionsgleichung für die Umwandlung von ^{30}Si in ^{31}Ph an. Begründen Sie durch Rechnung, dass es sich bei dieser Kernumwandlung um einen exothermen Vorgang handelt. (Atommassen: $m_{\text{Si30}} = 29{,}973\,771$ u, $m_{\text{P31}} = 30{,}973\,762$ u)

e) Direkt nach der Bestrahlung können die Siliciumstäbe nicht zur Verarbeitung weitergegeben werden, da die Radioaktivität des ^{31}Si erst abklingen muss. Berechnen Sie, wie lange es dauert, bis die Aktivität auf 1 % des Anfangswertes abgesunken ist. Die Halbwertszeit von ^{31}Si beträgt 2,6 h.

Lösung:

a) Thermische Neutronen sind Neutronen mit kinetischen Energien zwischen 0,01 eV und 0,1 eV. Damit entspricht ihre Bewegungsenergie derjenigen einer rein thermischen, d. h. durch die innere Energie bei einer bestimmten Temperatur (z. B. Raumtemperatur) verursachten „Wärmebewegung".
Thermische Neutronen sind besonders gut zur Auslösung von Kernreaktionen geeignet, da die Neutronen als elektrisch neutrale Teilchen unbeeinflusst von der Atomhülle bzw. dem elektrischen Feld der Protonen im Kern in den Kern eindringen können. Ihre geringe kinetische Energie ist Ursache für eine relativ lange Verweildauer in Kernnähe und damit für eine relativ große Wahrscheinlichkeit einer Kernreaktion.

b) Freie Neutronen lassen sich z. B. erzeugen, indem Beryllium-Pulver mit Radiumsulfat gemischt wird. Das Radium ist Quelle für α-Teilchen. Es kommt zu folgender Kernreaktion, bei der ein freies Neutron entsteht:

$$^{9}_{4}\text{Be} + ^{4}_{2}\text{He} \rightarrow ^{12}_{6}\text{C} + ^{1}_{0}\text{n}$$

Eine Alternative zur Erzeugung freier Neutronen bietet der Bau eines Kernspaltungsreaktors.
Schnelle Neutronen lassen sich abbremsen, indem sie durch wasserstoffhaltige Materialien wie Wasser oder Paraffin geschickt werden. Wasserstoffatome als im Vergleich zu den Neutronen etwa gleich schwere Stoßpartner entziehen den Neutronen beim elastischen Stoß einen Großteil ihrer Energie.

c) Die Neutronenstrahlung durchdringt problemlos den Silicium-Festkörper, da die Neutronen beim „Stoß" mit den etwa 28-mal schwereren Si-Atomen nur wenig Energie verlieren. Die Wahrscheinlichkeit für eine Kernreaktion, die zur Umwandlung eines Si-Atoms in ein P-Atom führt, ist also im gesamten Festkörper in etwa überall gleich.

d) $^{30}_{14}\text{Si} + ^{1}_{0}\text{n} \rightarrow ^{31}_{15}\text{P}^+ + ^{0}_{-1}\text{e}^- + ^{0}_{0}\overline{\nu}$

Die Reaktionsenergie beträgt

$$\begin{aligned} E &= \Delta m c^2 = (m_{\text{Si30}} + m_{\text{n}} - (m_{\text{P31}} + m_{\text{e}}))\,c^2 \\ &= (29{,}973\,771\text{ u} + 1{,}008\,665\text{ u} - 30{,}973\,762\text{ u} \\ &\quad - 5{,}485\,80 \cdot 10^{-4}\text{ u})\,c^2 \\ &= 8{,}1254 \cdot 10^{-3}\text{ u}\,c^2 = 8{,}1254 \cdot 10^{-3} \cdot 931{,}49\text{ MeV} \\ &= 7{,}5687\text{ MeV} > 0. \end{aligned}$$

Die Reaktionsenergie ist positiv, die Kernumwandlung verläuft also exotherm.

e) Aus $\frac{A}{A_0} = e^{-\lambda t} = e^{-\frac{\ln 2}{t_H} t} = 1\,\% = 0{,}01$ folgt

$$-\frac{\ln 2}{t_H} t = \ln 0{,}01 \quad \text{bzw.} \quad t = -\frac{\ln 0{,}01}{\ln 2} t_H = 17\text{ h}.$$

Positronen-Emissions-Tomografie (PET)

Ein diagnostisches Verfahren der Nuklearmedizin ist die sogenannte Positronen-Emissions-Tomographie (PET). Zum Einsatz kommen hierbei künstlich erzeugte β^+-Strahler mit nicht zu langer Halbwertszeit, die leicht in geeignete Trägersubstanzen („Tracer") eingebaut werden können. Diese Eigenschaft besitzt das Kohlenstoff-Isotop ^{11}C, dessen Atommasse $m_{\text{C11}} = 11{,}011\,433$ u beträgt. ^{11}C lässt sich durch Bestrahlung von ruhenden ^{14}N-Atomen mit Protonen der Geschwindigkeit $v_{\text{p}} = 2{,}8 \cdot 10^7$ m/s erzeugen. (Für die beiden folgenden Teilaufgaben genügt eine nicht-relativistische Rechnung.)

a) Stellen Sie die Gleichung dieser Kernreaktion auf und begründen Sie durch eine Energiebetrachtung, dass Protonen mit der Geschwindigkeit v_{p} für die Erzeugung von ^{11}C aus ^{14}N ($m_{\text{N14}} = 14{,}003\,074$ u) geeignet sind.

b) Das erzeugte ^{11}C wird chemisch aufbereitet und dem zu untersuchenden Patienten verabreicht. Bei den meisten Zerfällen von ^{11}C entstehen Positronen, die innerhalb einer Strecke von wenigen Millimetern vollständig abgebremst werden. Geben Sie die Zerfallsgleichung für den β^+-Zerfall von ^{11}C an und zeigen Sie, dass dieser Zerfall energetisch möglich ist. ($m_{\text{B11}} = 11{,}009\,305$ u)

Vernetzende Aufgaben

c) Das abgebremste Positron reagiert mit einem Elektron aus der Umgebung, wobei die Teilchen in zwei Photonen zerstrahlen. Berechnen Sie deren Wellenlänge und begründen Sie, warum der Zerfall in ein einziges Photon ausgeschlossen ist.
d) In der abgebildeten Anordnung treffen die beiden Photonen aus der Vernichtung eines Elektron-Positron-Paares auf zwei geeignete Detektoren im Abstand von 60 cm.

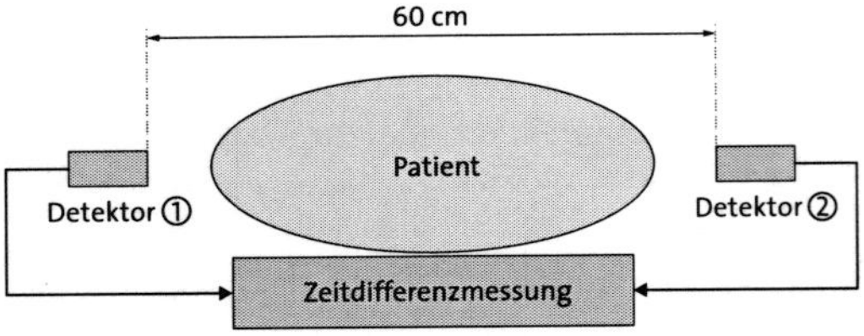

Detektor ① spricht um 0,80 ns später an als Detektor ②. Bestimmen Sie den Zerfallsort und geben Sie ihn eindeutig an. Begründen Sie kurz Ihr Vorgehen.
e) Bei der Positronen-Emissions-Tomografie umgibt ein Ring aus vielen solcher Detektoren das zu untersuchende Organ. Erläutern Sie, wie mithilfe einer solchen Anordnung die Position eines Tumors ermittelt werden kann, auch wenn keine Zeitdifferenzmessungen an zwei gegenüberliegenden Detektoren durchgeführt werden. Berücksichtigen Sie, dass sich der Positronenstrahler ^{11}C im Tumorgewebe stärker anreichert als im übrigen Teil des Körpers.

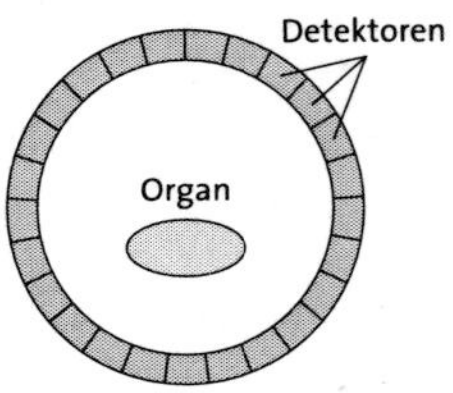

Lösung:

a) $^{14}_{7}\text{N} + ^{1}_{1}\text{H} \rightarrow ^{11}_{6}\text{C} + ^{4}_{2}\text{He}$

Die Reaktionsenergie beträgt

$$\begin{aligned} E &= \Delta m c^2 = (m_{\text{N14}} + m_{\text{H1}} - (m_{\text{C11}} + m_{\text{He4}}))\, c^2 \\ &= (14{,}003\,074 \text{ u} + 1{,}007\,276 \text{ u})\, c^2 \\ &\quad - (11{,}011\,433 \text{ u} + 4{,}002\,603 \text{ u})\, c^2 \\ &= -3{,}686 \cdot 10^{-3} \text{ u}\, c^2 = -3{,}686 \cdot 10^{-3} \cdot 931{,}49 \text{ MeV} \\ &= -3{,}433 \text{ MeV} < 0. \end{aligned}$$

Die Reaktion ist endotherm, d. h. eine Energie von mindestens 3,433 MeV muss aufgebracht werden, damit die Reaktion ablaufen kann. Mit einer Geschwindigkeit von $v_\text{p} = 2{,}8 \cdot 10^7$ m/s haben die als Projektile verwendeten Protonen eine kinetische Energie von

$$\begin{aligned} E_{\text{kin,p}} &= \frac{1}{2} m_\text{p} v_\text{p}^2 = \frac{1}{2} \cdot 1{,}007\,276 \text{ u} \cdot \left(\frac{2{,}8 \cdot 10^7}{3{,}0 \cdot 10^8} c\right)^2 \\ &= 4{,}4 \cdot 10^{-3} \text{ u}\, c^2 = 4{,}4 \cdot 10^{-3} \cdot 931{,}49 \text{ MeV} = 4{,}1 \text{ MeV}, \end{aligned}$$

also mehr als die für das Ablaufen der Kernreaktion notwendige Energie von 3,433 MeV.

b) $^{11}_{6}\text{C} \rightarrow ^{11}_{5}\text{B}^- + ^{0}_{1}\text{e}^+ + ^{0}_{0}\nu$

Die Zerfallsenergie beträgt

$$\begin{aligned} E &= \Delta m c^2 = (m_{\text{C11}} - m_{\text{B11}} - 2 m_\text{e})\, c^2 \\ &= (11{,}011\,433 \text{ u} - 11{,}009\,305 \text{ u} - 2 \cdot 5{,}485\,80 \cdot 10^{-4} \text{ u})\, c^2 \\ &= -1{,}030\,84 \cdot 10^{-3} \cdot 931{,}49 \text{ MeV} = 0{,}9602 \text{ MeV} > 0. \end{aligned}$$

Da sie positiv ist, beim Zerfall also Energie freigesetzt wird, ist der Zerfall energetisch möglich.

c) $E_{\text{vorher}} = E_{0,\text{e}^-} + E_{0,\text{e}^+} = 2 \cdot 0{,}511 \text{ MeV} = 1{,}022 \text{ MeV}$
Diese Energie verteilt sich (aufgrund der Impulserhaltung) zu gleichen Teilen auf die beiden entstehenden Photonen. Deren Wellenlänge ergibt sich aufgrund $E = hf = hc/\lambda$ zu

$$\lambda = \frac{hc}{E} = \frac{1{,}239\,8516 \cdot 10^{-6} \text{ eVm}}{0{,}511 \text{ MeV}} = 2{,}43 \cdot 10^{-12} \text{ m}.$$

Der Zerfall in ein einziges Photon ist ausgeschlossen, da in diesem Fall die Impulserhaltung verletzt wäre:
$p_{\text{vorher}} = 0 = p_{\text{nachher}}$
Der Gesamtimpuls null ist nur möglich, wenn die Einzelimpulse zweier Photonen gleich groß und entgegengesetzt sind:
$\vec{p}_1 + \vec{p}_2 = 0$

d) Es ergibt sich eine Zeitdifferenz von $\Delta t = 0{,}80$ ns. Bei einer Photonengeschwindigkeit von c entspricht dies einem Wegunterschied von

$$s = c\,\Delta t = 3{,}0 \cdot 10^8 \text{ m/s} \cdot 0{,}80 \cdot 10^{-9} \text{ s} = 24 \text{ cm}.$$

Der Zerfallsort liegt in der Entfernung x_1 von Detektor ① bzw. in der Entfernung x_2 von Detektor ② auf der Verbindungsgeraden zwischen den beiden Detektoren. Es gilt:

$$x_1 + x_2 = 60 \text{ cm} \quad \text{und} \quad x_1 - x_2 = 24 \text{ cm}$$

Die Lösung dieses Gleichungssystems ergibt $x_1 = 42$ cm. Der Zerfallsort liegt also 42 cm von Detektor ① entfernt auf der Verbindungsgeraden zwischen den beiden Detektoren.

e) Ein ringförmig um den Patienten angeordnetes ortsauflösendes Detektorsystem, das aus vielen einzelnen Zählern besteht, weist jeweils zwei Photonen, die aufgrund der Zerstrahlung eines Positrons mit einem Elektron entstehen, gleichzeitig nach. Da die Emission wegen der Impulserhaltung in die genau entgegengesetzten Richtungen erfolgte, müssen die Photonen von einem Punkt kommen, der auf einer Geraden zwischen den gleichzeitig angesprochenen Detektoren liegt. Werden mehrere solcher Messungen durchgeführt, so erhält man Verbindungsgeraden, die sich dort kreuzen, wo besonders viele Positronen durch den Zerfall des in den Organen angereicherten ^{11}C entstehen. Da sich das ^{11}C aufgrund des erhöhten Stoffwechsels in einer Tumorzelle bevorzugt in Tumorgewebe anreichert, kann der Ort eines möglichen Tumors als Ort erhöhter Aktivität bestimmt werden.

Seite 129

Entdeckung des Neutrons

Im Jahre 1930 beobachteten BOTHE und sein Mitarbeiter BECKER, dass beim Beschuss von Beryllium ^{9}Be mit α-Teilchen der kinetischen Energie 5,4 MeV eine sehr durchdringende Strahlung ausgelöst wurde.

a) Geben Sie an, wie experimentell gezeigt werden konnte, dass die Strahlung nicht aus geladenen Teilchen bestand.

b) Man nahm zunächst an, dass bei dem Versuch von BOTHE und BECKER ein angeregter Zwischenkern entsteht, der durch einen γ-Übergang in den Grundzustand übergeht. Geben Sie die Gleichung für diese aufeinanderfolgenden hypothetischen Reaktionen an und berechnen Sie die größtmögliche Energie der entstehenden γ-Quanten. Rückstoßeffekte können unberücksichtigt bleiben. (Zur Kontrolle: 16 MeV)

c) Die beobachtete Strahlung löste aus einem wasserstoffhaltigen Material Protonen aus, deren maximale kinetische Energie zu 7,5 MeV bestimmt werden konnte. Skizzieren Sie das Impulsdiagramm für einen vollkommen elastischen zentralen Stoß zwischen einem γ-Quant und einem ruhenden Proton, bei dem der Impuls des gestreuten γ-Quants die entgegengesetzte Richtung aufweist wie der des einfallenden γ-Quants. Berechnen Sie für diesen Stoß die Energie des einfallenden γ-Quants (relativistische Rechnung).

d) CHADWICK konnte 1930 zeigen, dass die Widersprüche zwischen den Ergebnissen der Teilaufgaben b) und c) nicht auftreten, wenn angenommen wird, dass bei der vorliegenden Reaktion kein γ-Quant, sondern ein dem Proton vergleichbares, jedoch ungeladenes Teilchen, das „Neutron", emittiert wird. Geben Sie die daraus folgende Gleichung für die betrachtete Kernreaktion an.

e) Geben Sie an, welche maximale kinetische Energie die Neutronen aufgrund der Messergebnisse von Teilaufgabe c) hatten und begründen Sie ihre Antwort.

Lösung:

a) Nur geladene Teilchen lassen sich durch elektrische bzw. magnetische Felder beeinflussen. Die beobachtete Strahlung ließ sich jedoch nicht durch derartige Felder ablenken.

b) $^9_4\text{Be} + ^4_2\text{He} \rightarrow ^{13}_6\text{C}^*$ und $^{13}_6\text{C}^* \rightarrow ^{13}_6\text{C} + \gamma$

Die Reaktionsenergie beträgt

$$E = \Delta m\, c^2 = (m_{\text{Be9}} + m_{\text{He4}} - m_{\text{C13}})\, c^2$$
$$= (9{,}012\,182\text{ u} + 4{,}002\,603\text{ u} - 13{,}003\,355\text{ u})\, c^2$$
$$= 0{,}011\,43 \cdot 931{,}49\text{ MeV} = 10{,}65\text{ MeV}.$$

Die α-Teilchen bringen eine Energie von 5,4 MeV mit. Damit ergibt sich als größtmögliche Energie für die entstehenden γ-Quanten 10,65 MeV + 5,4 MeV = 16 MeV.

c)

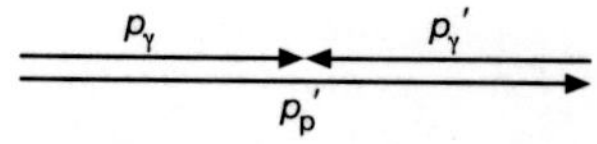

Dabei ist

- p_γ der Impulsbetrag und E_γ die Energie des einfallenden γ-Quants;
- p_γ' der Impulsbetrag und E_γ' die Energie des gestreuten γ-Quants;
- p_p' der Impulsbetrag und E_p' die kinetische Energie des ausgelösten Protons.

Die maximale kinetische Energie erhält ein Proton, wenn das gestreute γ-Quant wie in obigem Impulsdiagramm entgegengesetzt zur Richtung des einfallenden γ-Quants läuft. Der Impuls des Protons ergibt sich mittels der relativistischen Energie-Impuls-Beziehung $E_p'^2 - E_0^2 = (p_p' c)^2$ zu

$$p_p' = \frac{\sqrt{E_p'^2 - E_0^2}}{c} = \frac{\sqrt{(E_0 + E_{\text{kin}})^2 - E_0^2}}{c}$$
$$= \frac{\sqrt{(938{,}27 + 7{,}5)^2 - 938{,}27^2}\text{ MeV}}{3{,}0 \cdot 10^8\text{ m/s}} = 6{,}3 \cdot 10^{-20}\text{ kg m/s}.$$

Es gilt Energie- und Impulserhaltung (Beträge!):

$p_\gamma + p_\gamma' = p_p'$ und $E_\gamma = E_\gamma' + E_p'$

Mit $E_\gamma' = p_\gamma' c$ folgt

$E_\gamma = p_\gamma' c + E_p' = (p_p' - p_\gamma)\, c + E_p' = p_p' c - E_\gamma + E_p'$.

Daraus ergibt sich

$2E_\gamma = p_p' c + E_p'$ bzw. $E_\gamma = (p_p' c + E_p')/2$

$$E_\gamma = (6{,}3 \cdot 10^{-20}\text{ kg m/s} \cdot 3{,}0 \cdot 10^8\text{ m/s} + 7{,}5\text{ MeV})/2$$
$$= (118\text{ MeV} + 7{,}5\text{ MeV})/2 = 63\text{ MeV}.$$

Diese Energie ist etwa viermal so groß wie diejenige, die aufgrund des auftretenden Massendefektes zu erwarten wäre (vgl. Teilaufgabe b)).

d) $^9_4\text{Be} + ^4_2\text{He} \rightarrow ^{12}_6\text{C} + ^1_0\text{n}$

e) Die bei der Kernreaktion emittierten Neutronen hatten wie die aus dem wasserstoffhaltigen Material ausgelösten Protonen eine maximale kinetische Energie von 7,5 MeV. Beim elastischen Stoß der beiden etwa gleich schweren Stoßpartner Neutron und Proton wird die gesamte kinetische Energie vom bewegten Neutron auf das zunächst ruhende Proton übertragen.

Mordfall Litvinenko

Anfang November 2006 kam das Polonium-Isotop ^{210}Po (Halbwertszeit 138 d; $m_{\text{Po210}} = 209{,}982\,85$ u) wegen eines spektakulären Mordfalls in die Schlagzeilen. Der α-Strahler wurde dem russischen Ex-Agenten Alexander Litvinenko ins Essen gemischt. Dies führte innerhalb von drei Wochen zu dessen Tod. Zur Zeit des Mordfalls war in einer Zeitung zu lesen: „Da die Zerfallsrate von Polonium210 sehr hoch ist, ist auch die Strahlungsintensität sehr hoch. Um die tödliche internistische Dosis zu erzeugen, sind gerade einmal ein 0,1 Millionstel eines Gramms notwendig, eine Giftmenge von der Größe eines Stecknadelkopfes. [...] In der Raumfahrt dient Polonium210 als leichtgewichtige Wärmequelle. So kann ein Gramm Polonium210 etwa 140 W Wärmeleistung erzeugen."

a) Ordnen Sie ^{210}Po einer natürlichen Zerfallsreihe zu und begründen Sie Ihre Zuordnung.

b) Geben Sie die Zerfallsgleichung von ^{210}Po an und berechnen Sie die gesamte bei diesem Zerfall freiwerdende Energie E. ($m_{Pb206} = 205{,}974\,440$ u; zur Kontrolle: $E = 5{,}41$ MeV)

c) Als maximale kinetische Energie der von ^{210}Po emittierten α-Teilchen wird in der Nuklidkarte 5,30 MeV angegeben. Geben Sie eine mögliche Ursache für den Unterschied zu E an.

d) Berechnen Sie die Aktivität einer Probe von 1,0 g ^{210}Po. (Zur Kontrolle: $A = 1{,}7 \cdot 10^{14}$ Bq)

e) Bei der Aufnahme von ^{210}Po in den Körper ist bereits eine Aktivität von $1{,}5 \cdot 10^7$ Bq tödlich. Zeigen Sie, dass dies bei der im Zeitungstext angegebenen Masse von „0,1 Millionstel eines Gramms" der Fall ist.

f) Geben Sie einen Grund an, warum das Hantieren mit ^{210}Po für die Mörder relativ ungefährlich war.

g) ^{210}Po hat eine Dichte von 9,3 g/cm³. Überprüfen Sie damit die Aussage des Zeitungsartikels bezüglich des Volumens der Giftmenge.

h) Verifizieren Sie die Zahlenangabe zur Wärmeleistung.

Lösung:

a) ^{210}Po gehört zur Uran-Radium-Zerfallsreihe.
Die Uran-Radium-Zerfallsreihe ist auf das Isotop ^{234}U zurückzuführen. Da sich bei einem α-Zerfall die Massenzahl um 4 vermindert, beim β-Zerfall dagegen gleich bleibt, ergibt sich bei allen Isotopen der Uran-Radium-Zerfallsreihe eine Massenzahl, die sich um ein Vielfaches von 4 von der Massenzahl 234 des ^{234}U-Isotops unterscheidet, hier:
$234 - 210 = 24 = 6 \cdot 4$

b) $^{210}_{84}\text{Po} \rightarrow {}^{206}_{82}\text{Pb} + {}^{4}_{2}\text{He}$

Die Zerfallsenergie beträgt

$$E = \Delta m\, c^2 = (m_{Po210} - m_{Pb206} - m_{He4})\, c^2$$
$$= (209{,}982\,85\ \text{u} - 205{,}974\,440\ \text{u} - 4{,}002\,603\ \text{u})\, c^2$$
$$= 5{,}807 \cdot 10^{-3} \cdot 931{,}49\ \text{MeV} = 5{,}409\ \text{MeV}.$$

c) Der Tochterkern ^{206}Pb nimmt einen Teil der Zerfallsenergie auf (Rückstoß).

d) $$A_0 = \lambda N = \frac{\ln 2}{t_H}\,\frac{m}{m_{Po210}}$$
$$= \frac{\ln 2}{138 \cdot 24 \cdot 3600\ \text{s}}\,\frac{1{,}0 \cdot 10^{-3}\ \text{kg}}{209{,}982\,85 \cdot 1{,}660\,540 \cdot 10^{-27}\ \text{kg}}$$
$$= 1{,}7 \cdot 10^{14}\ \text{Bq}$$

e) Für $0{,}1 \cdot 10^{-6}\ \text{g} = 10^{-7}$ g ergibt sich eine Aktivität von $1{,}7 \cdot 10^7$ Bq. Diese übersteigt den Grenzwert von $1{,}5 \cdot 10^7$ Bq für eine tödliche Dosis.

f) α-Strahlung wird bereits von einem Blatt Papier vollständig absorbiert. Die von dem ^{210}Po-Präparat freigesetzte α-Strahlung ist nicht in der Lage, die Haut von außen zu durchdringen.

g) $0{,}1 \cdot 10^{-6}$ g ^{210}Po hat ein Volumen von

$$V = \frac{m}{\rho} = \frac{0{,}1 \cdot 10^{-6}\ \text{g}}{9{,}3\ \text{g/cm}^3} = 1{,}1 \cdot 10^{-8}\ \text{cm}^3 = 1{,}1 \cdot 10^{-5}\ \text{mm}^3$$

Dieses Volumen ist wesentlich kleiner als das Volumen eines Stecknadelkopfs.

h) Mit einer Aktivität von $1{,}7 \cdot 10^{14}$ Bq ergibt sich eine Wärmeleistung von

$$1{,}7 \cdot 10^{14}\ \text{s}^{-1} \cdot 5{,}41\ \text{MeV} = 147\ \text{J/s} = 147\ \text{W}.$$

Dies entspricht in etwa der im Zeitungstext angegebenen Leistung.

Blutvolumenbestimmung mittels Technetium

Für manche medizinische Diagnosen ist es wichtig, die Blutmenge im Organismus zu kennen. Man kann dazu folgendes Verfahren anwenden: In den Blutkreislauf des Patienten wird 1 cm³ einer Lösung mit roten Blutkörperchen gespritzt, die mit dem radioaktiven Technetium (^{99}Tc, Halbwertszeit $t_H = 6{,}0$ h) markiert sind. Nach einiger Zeit hat sich die Lösung gleichmäßig im Blut verteilt. Dem Patienten werden dann 20 cm³ Blut entnommen und die Aktivität des beigemischten Technetiums gemessen. 1,5 h nach dem Präparieren und Einspritzen der Lösung wird an der entnommenen Blutprobe die Aktivität 43,5 kBq gemessen, die ursprüngliche Aktivität der eingespritzten Lösung betrug 15 MBq.

a) Berechnen Sie, wie viele Gramm des Radionuklids ^{99}Tc beim Ansatz der Lösung für 1 cm³ verwendet wurden.

b) Bestimmen Sie das Blutvolumen, das sich für den Patienten aus den vorliegenden Angaben ergibt.

Lösung:

a) Aus $A_0 = \lambda N = \frac{\ln 2}{t_H}\,\frac{m}{m_{Tc99}}$ folgt

$$m = \frac{A_0\, t_H\, m_{Tc99}}{\ln 2}$$
$$= \frac{15 \cdot 10^6\ \text{s}^{-1} \cdot 6{,}0 \cdot 3600\ \text{s} \cdot 99 \cdot 1{,}660\,540 \cdot 10^{-27}\ \text{kg}}{\ln 2}$$
$$= 7{,}7 \cdot 10^{-14}\ \text{kg}.$$

b) Mit $A(t) = A_0 e^{-\lambda t} = A_0 e^{-\frac{\ln 2}{t_H} t}$ ergibt sich als Aktivität der gesamten Lösung nach 1,5 Stunden:

$$A(1{,}5\ \text{h}) = 15\ \text{MBq} \cdot e^{-\frac{\ln 2}{6{,}0\ \text{h}} 1{,}5\ \text{h}} = 12{,}6\ \text{MBq}$$

Bei 20 cm³ Blut wird eine Aktivität von 43,5 kBq, also gerade mal der 290-ste Teil dieser Gesamtaktivität gemessen. Für den gesamten Blutkreislauf ergibt sich demzufolge das 290-Fache dieser Aktivität und damit auch das 290-fache des Volumens. Das Blutvolumen beträgt also $290 \cdot 20\ \text{cm}^3 = 5800\ \text{cm}^3 = 5{,}8$ l.